A PERFECT MESS

The Hidden Benefits of Disorder

How Crammed Closets,
Cluttered Offices, and On-the-Fly Planning
Make the World a Better Place

ERIC ABRAHAMSON AND
DAVID H. FREEDMAN

LITTLE, BROWN AND
New York Boston London

Little, Brown and Company
Hachette Book Group USA
1271 Avenue of the Americas, New York, NY 10020
Visit our Web site at www.HachetteBookGroupUSA.com

First Edition

Library of Congress Cataloging-in-Publication Data
Abrahamson, Eric.
A perfect mess : the hidden benefits of disorder : how crammed closets, cluttered offices, and on-the-fly planning make the world a better place / Eric Abrahamson and David H. Freedman. — 1st ed.
p. cm
Includes index.
ISBN-10: 0-316-11475-8
ISBN-13: 978-0-316-11475-2
1. Orderliness. 2. Order. 3. Moderation. 4. Success. 5. Conduct of life. 6. Organizational effectiveness. I. Freedman, David H. II. Title.
BJ1533.O73A27 2006
650.1 — dc22 2006012712

10 9 8 7 6 5 4 3 2 1

Q-MB

Designed by Renato Stanisic

Printed in the United States of America

1

La plupart des enfants ont deux jambes entières et deux bras entiers mais ce garçonnet de six ans que portait Dinesh avait déjà perdu une jambe, la droite, à partir du bas de la cuisse, et était maintenant sur le point de perdre son bras droit. Le shrapnel avait réduit sa main et son avant-bras à un manège de chair mou dont certaines parties se déversaient au sol, d'autres coagulaient, le reste ayant été carbonisé. Trois doigts s'étaient complètement détachés, où étaient-ils à présent, impossible à dire, et les deux qui tenaient encore, l'index et le pouce, pendaient de sa main par de très minces filaments. Ils se balançaient, hésitants, se percutaient sans bruit, jusqu'à ce que Dinesh, enfin arrivé dans la zone opératoire, s'agenouille au sol et allonge précautionneusement le garçon sur une bâche inoccupée. La poitrine du petit bougeait à peine. Il avait les yeux fermés et le visage calme, inconscient. Qu'il ne fût pas au mieux, cela ne faisait aucun doute, mais tout ce qui importait pour le moment c'était qu'il fût en sécurité. Le docteur allait bientôt arriver, l'opération serait réalisée, et en un rien de temps son bras serait aussi joliment cicatrisé que sa cuisse déjà amputée. Dinesh s'accroupit à côté de la jambe afin d'étudier le moignon lisse d'une rondeur étrangement régulière. D'après la sœur du garçon, cette blessure avait été occasionnée par l'explosion d'une mine antipersonnel quatre mois auparavant, le même accident qui avait aussi tué leurs parents. L'opération avait été effectuée dans un hôpital proche, l'un des rares qui fonctionnaient encore à l'époque, et il n'y avait presque aucune cicatrice sur la peau glabre, même les marques de sutures étaient difficiles à trouver. Bizarrement, Dinesh avait eu beau voir durant les derniers mois des douzaines d'amputés avec des moignons similaires à différents stades de guérison selon le temps qui s'était écoulé depuis chaque opération, il n'arrivait toujours pas à croire en la réalité de tous ces membres tronqués. Ils semblaient, d'une certaine manière, faux, ou illusoires. Afin de dissiper cette idée, il n'aurait eu bien sûr qu'à tendre le bras pour toucher celui qui se trouvait en face de lui, et ainsi savoir une fois pour toutes si la peau autour du moignon était aussi lisse qu'elle le paraissait ou en réalité rugueuse, si l'on pouvait sentir la dureté de l'os en dessous, ou bien si, fidèle à son apparence, cette chose avait la mollesse d'un fruit gâté ; mais que ce fût par crainte de réveiller l'enfant ou pour une autre raison, Dinesh ne bougea pas. Il resta simplement assis là, le visage à quelques centimètres du moignon, complètement immobile.

Quand le médecin arriva, une infirmière sur les talons, il s'agenouilla sans un mot à côté de la bâche et examina l'avant-bras mutilé. Il n'y avait pas d'instruments chirurgicaux dans la clinique, pas d'anesthésiques, ni généraux ni locaux, pas de calmants ni d'antibiotiques, et pourtant, vu l'expression du médecin, il était clair qu'il n'y avait d'autre choix que de se lancer. Il fit signe à l'infirmière de maintenir au sol la jambe et le bras gauche du garçon, à Dinesh de lui maintenir la tête et l'épaule droite. Il leva le couteau de cuisine utilisé pour les amputations, vérifia qu'il avait été nettoyé correctement, puis, avec un hochement de tête à ses deux assistants, plaça l'extrémité pointue juste sous le coude droit. Dinesh se tint prêt. Le médecin appuya, la pointe perça, et le garçon, resté jusqu'alors dans un état de profond sommeil silencieux, reprit connaissance. Ses yeux s'ouvrirent, les veines parcourant son cou et ses tempes se dilatèrent, et il poussa un tendre hurlement qui s'éternisa tandis que le médecin, qui avait commencé précautionneusement dans l'espoir que son patient resterait inconscient, sciait désormais fermement la chair, sans hésiter. Le sang s'égouttait en silence sur la bâche avant de se déverser sur la terre. Dinesh tenait délicatement la petite tête du garçon sur ses genoux, lui caressait doucement le crâne. Qu'il s'agît d'une bonne ou d'une mauvaise chose qu'il perdît son bras droit et non son bras gauche, c'était difficile à dire. N'avoir qu'un bras gauche et une jambe gauche ne serait pas favorable à l'équilibre du garçon, aucun doute là-dessus, mais avoir un bras droit et une jambe gauche aurait pu être pire encore, ou un bras gauche et une jambe droite, car assurément, à bien y réfléchir, avec de telles combinaisons le poids aurait été moins bien réparti. Évidemment, si ses deux membres intacts s'étaient trouvés en opposition, le garçon aurait été en mesure d'utiliser une béquille pour marcher, car alors celle-ci aurait été tenue par son bras valide, et aurait ainsi remplacé la jambe amputée. En fin de compte, tout dépendait du mode de transport auquel il aurait accès une fois guéri : fauteuil roulant, béquilles, ou sa seule et unique jambe, donc à ce stade, il était probablement encore trop tôt pour dire s'il était chanceux ou non.

Le médecin continuait à trancher la chair, non pas avec des coups rapides et efficaces mais avec un mouvement haché de scie. Son visage demeurait impassible, même lorsque le couteau se mit à grincer contre l'os, à croire que les yeux qui observaient cette scène appartenaient à une autre personne que les mains qui effectuaient la découpe. Comment faisait-il pour continuer ainsi, jour après jour, Dinesh n'en avait aucune idée. Il était de notoriété publique que lorsque les lignes de front s'étaient déplacées vers l'est, le médecin avait décidé de son plein gré de rester dans le territoire afin d'aider ceux qui étaient piégés à l'intérieur, plutôt que de partir vers la sécurité des zones tenues par le gouvernement. Il était passé d'hôpital en hôpital au gré des bombardements, et quand la semaine précédente l'hôpital divisionnaire où il travaillait dans le camp avait été détruit à son tour, il avait décidé, conjointement avec une petite partie du personnel médical, de convertir le bâtiment abandonné de l'école proche en une clinique de fortune, dans l'espoir qu'il serait assez discret pour soigner les blessés civils en toute sécurité. Une méthode assez similaire à celle d'une chaîne de montage avait été mise en place : d'abord des bénévoles emmenaient les blessés à la clinique, où les infirmières nettoyaient les plaies et préparaient chaque victime de façon qu'elle fût aussi prête que possible pour l'opération, ensuite le médecin venait effectuer la chirurgie, puis passait immédiatement à la personne suivante, laissant les infirmières recoudre les plaies et faire les bandages, à moins qu'il ne s'agît d'un enfant, auquel cas il insistait pour tout faire lui-même. La personne blessée était ensuite déplacée vers la zone située en face de la clinique, où elle était accompagnée par des proches et surveillée de temps à autre par des infirmières jusqu'à ce qu'elle aille mieux et soit capable de partir de son propre chef, ou qu'elle meure et doive être emportée par des bénévoles pour être enterrée. Chaque jour, du matin jusqu'au soir, le médecin passait ainsi de patient à patient sans montrer la moindre émotion lorsqu'il effectuait ses opérations, sans jamais se lasser ni sans presque jamais se reposer, sauf quand deux fois par jour il s'interrompait pour manger, puis quelques heures chaque nuit quand il essayait de dormir. C'était un grand homme, Dinesh le savait, qui méritait des louanges infinies, mais à ce moment-là, en observant son visage, il était impossible de déterminer ce qui lui avait permis de continuer ainsi et s'il possédait encore le moindre sentiment.

Le bruit humide du couteau à travers la chair céda place au frottement des dents contre la bâche, et enfin la découpe s'arrêta. La tête de l'enfant, de nouveau inconscient, était inerte sur les genoux de Dinesh. Le médecin souleva ce qui restait du bras, qui se terminait désormais juste sous le coude, et se servit d'un morceau de tissu pour absorber le sang qui gouttait encore. Il tamponna ensuite la plaie à l'aide d'un autre linge

— bouilli dans l'eau et trempé d'iode —, la recousit soigneusement avec les bouts de peau en excédent, puis la pansa proprement avec l'un de leurs derniers bandages. Quand tout cela fut fait, il prit le garçon dans ses bras et s'en alla avec l'infirmière en quête d'un endroit tranquille où l'enfant pourrait se reposer. Dinesh, à qui incombait la tâche de jeter les déchets, resta assis à dévisager la petite main et l'avant-bras ensanglantés, en se demandant quoi faire. Bien sûr il y avait des tas d'autres parties du corps nues éparpillées partout dans le camp, des doigts et des orteils, des coudes et des cuisses, en telles quantités que personne ne dirait rien s'il se contentait de laisser ce bras sous un buisson ou au pied d'un arbre. Mais si ces parties du corps étaient anonymes, cet avant-bras, lui, avait un propriétaire, ce qui signifiait, au sens de Dinesh, qu'il devait être jeté correctement. Il aurait pu l'enterrer, peut-être, ou le brûler, mais il redoutait de le toucher. Pas à cause du sang, car le sang de l'enfant avait déjà taché son sarong et ses mains, mais parce qu'il ne voulait pas sentir entre ses doigts la douceur de la chair fraîchement amputée, la chaleur d'un membre qui il y a quelques instants encore était vivant. Il aurait largement préféré attendre que le sang se soit égoutté et que la chair ait durci, quand ramasser le bras sectionné aurait plus ressemblé à ramasser un bâton ou une petite branche, pas beaucoup plus peut-être, mais plus quand même. Il ruminait cette question quand une fille avec de très fines chevilles et de longs et larges pieds s'approcha sans bruit, les bras serrés sur la poitrine et les doigts agrippés aux côtés de sa robe. C'était la sœur aînée du garçon, son seul parent vivant, qui venait du camp où on lui avait demandé d'attendre pendant l'opération. Sans adresser un mot à Dinesh ni même un regard, ne pleurant plus mais les yeux encore gonflés et humides, elle s'agenouilla devant la bâche ensanglantée et déploya là où son frère avait été allongé un carré de sari déchiré. Ramassant les restes du bras à deux mains, soigneusement, de façon que la main ne tombe pas de l'avant-bras et que les doigts ne tombent pas de la main, elle plaça délicatement la chair sur un bord du tissu. Elle se mit alors à l'enrouler très doucement, la voilant avec déférence dans plusieurs couches douces comme s'il s'agissait d'un bijou en or souple ou de quelque chose de périssable qui devait être conservé en vue d'un long voyage, et une fois le membre enveloppé complètement par le sari, la fille se leva lentement, en pressant délicatement la chose contre sa poitrine, puis sans un mot tourna les talons et s'éloigna.

C'était la fin d'après-midi, le temps était couvert, pesant. Basculant son poids sur ses jambes, Dinesh se leva. Il resta un moment immobile, attendant que le vertige provoqué par ce mouvement se dissipe, puis, les yeux rivés au sol, s'éloigna de la clinique en direction de l'est. Il n'avait plu que quelques gouttes la nuit précédente, pourtant entre les bâches la terre ocre était tachée de bordeaux, vernie d'une couche de vase rouge et lisse. Craignant de glisser dans cette mélasse ou de marcher sur un des pieds ou des mains étendus là, Dinesh enjamba chaque corps d'une grande foulée dynamique en s'assurant à chaque fois de poser correctement un pied avant de lever le second du sol. Il avait quelque scrupule à partir, mais les opérations urgentes étaient plus ou moins terminées et, pour l'instant du moins, il n'y avait pas grand-chose à faire. Depuis le bombardement, il avait passé la journée à aider à la clinique, les cris des blessés et des éplorés inondaient le moindre espace disponible entre ses deux oreilles, il n'aspirait donc plus qu'à un endroit calme où s'asseoir, se reposer et réfléchir, un lieu où il pourrait songer en paix à la demande en mariage qui lui avait été faite un peu plus tôt ce matin-là : alors qu'il était en train de creuser une tombe juste au nord de la clinique, un homme grand et légèrement voûté, qu'il avait déjà vu quelque part sans pouvoir dire où, l'avait empoigné, s'était présenté comme Somasundaram et l'avait précipitamment entraîné dans un coin. Le rythme lent et régulier de son pelletage ainsi brutalement interrompu, Dinesh s'était efforcé de sortir de sa torpeur pour comprendre ce qui se passait. Il l'avait vu la veille travailler à la clinique, expliquait l'homme, et, de toute évidence, c'était un brave garçon, il avait de l'éducation, il était responsable et avait l'âge qu'il fallait. Ganga, sa fille, sa seule enfant après que son frère aîné avait été tué deux semaines auparavant, était elle aussi une brave fille. Elle était jolie, intelligente et responsable, mais surtout c'était une brave fille. Il avait regardé Dinesh en prononçant ces mots, les yeux jaunes, les cheveux en bataille, des poils gris partout sur son visage défait et son cou, puis avait baissé les yeux au sol. En vérité, il n'avait pas envie de la marier, il voulait simplement s'assurer de sa sécurité et la garder tout près de lui, car maintenant que le reste de sa famille avait disparu, l'idée de la perdre elle aussi lui était presque insupportable. Jusqu'au jour précédent, il n'avait même pas songé une seule seconde au mariage, avait-il poursuivi en essuyant d'un pouce sale une larme sur sa joue, mais dès qu'il avait vu Dinesh dans la clinique, il avait compris que c'était sa responsabilité, qu'il devait le faire pour le bien de sa fille. C'était un vieil homme, il allait bientôt mourir, alors c'était son devoir de trouver quelqu'un qui prendrait soin d'elle une fois qu'il serait parti. Peu importait la compatibilité de leurs horoscopes, le jour ou l'heure les plus propices, car à l'évidence il était impossible de suivre toutes les coutumes tout le temps. Dinesh avait de l'éducation, c'était un brave garçon responsable, avait-il répété en relevant la tête, c'était tout ce qui comptait. Il y avait dans le camp un Iyer qui pourrait accomplir les rites, et si Dinesh disait oui, le prêtre les marierait sur-le-champ.

Au début, Dinesh avait dévisagé Mr Somasundaram sans comprendre, sans savoir comment réagir. Il n'était pas bien sûr d'avoir suivi tout son discours et n'avait pas vraiment le temps d'y réfléchir de toute façon, car la fosse qu'il creusait devait être terminée au plus vite afin de libérer de la place dans la clinique pour toutes les nouvelles arrivées dues au bombardement qui avait eu lieu le matin même. Voyant son hésitation, Mr Somasundaram avait ajouté qu'il n'y avait pas d'urgence, qu'il était important que Dinesh prenne le temps de réfléchir à sa décision. Certes l'Iyer avait été blessé la veille, mais jusqu'à présent il s'en sortait bien, et tant que Dinesh répondait oui d'ici la fin de l'après-midi, il n'y avait aucune raison que le prêtre ne soit pas en état de les marier. Dinesh s'était tu encore un peu, avant de faire signe qu'il avait compris. Il était resté figé sur place un moment après le départ de Mr Somasundaram, puis s'était retourné vers la tombe afin de recommencer à creuser. Il avait enfoncé sa pelle dans le sol, appuyé de son maigre poids sur le manche et soulevé la terre qu'il avait ameublie, essayant de retrouver le rythme du pelletage. D'une certaine façon, il n'aurait pas vraiment dû être surpris par ce qui venait de se passer, bien sûr, car la raison pour laquelle Mr Somasundaram essayait de marier sa fille était évidente, et s'il ne la mariait pas à Dinesh, alors ce serait à n'importe quel homme majeur sur lequel il pourrait mettre la main. Au cours des deux dernières années, les parents s'étaient désespérément efforcés de marier leurs enfants, surtout leurs filles, afin d'éloigner le risque qu'ils se fassent enrôler dans le mouvement. À ce stade, les personnes en couple étaient tout autant susceptibles d'être recrutées au combat que les célibataires, évidemment, mais nombreux étaient ceux qui continuaient malgré tout d'essayer de marier leurs filles, dans l'idée que, si elles finissaient par tomber entre les mains du gouvernement, les épouses risquaient moins de se voir souiller, qu'il était plus probable que les soldats leur préfèrent d'autres butins. La raison de cette demande en mariage était donc évidente, en revanche ce qu'elle signifiait au juste pour lui et comment y répondre, Dinesh avait beaucoup plus de mal à le déterminer. Il aurait probablement dû faire l'effort d'y réfléchir avant, de concentrer son esprit sur ce problème quand il était encore en train de creuser, mais soit que sa tâche l'eût trop accaparé, qu'il ne sût pas encore comment aborder la question, ou qu'il fût d'une certaine manière agréable de repousser le moment de s'y confronter, il s'était résigné à attendre que la tombe fût terminée. Cependant à peine avait-il fini de creuser qu'on lui avait demandé de s'atteler au transport des cadavres de la clinique à la tombe, puis d'aider à transporter les blessés du camp à la clinique. Au milieu du chaos et des cris, il avait complètement cessé de penser à cette demande en mariage, et maintenant qu'il avait enfin été libéré de ses devoirs, il se rendit compte que son incompréhension initiale avait cédé place à une vague de stupéfaction muette. C'était comme si pendant tout ce temps il s'était déplacé dans un épais brouillard, accomplissant bêtement ce qu'il avait à faire, refusant de prêter attention au monde alentour et de le laisser l'atteindre, si bien que, pris au dépourvu par cette demande en mariage inattendue, contraint de se réveiller brusquement après il ne savait combien de mois de cet état léthargique, il voyait pour la première fois avec une grande lucidité la multitude de gens qui l'entouraient et sa propre errance à travers le camp.

Ils proliféraient, ici, plusieurs dizaines de milliers d'individus surgis en l'espace de quelques semaines seulement. Certains avaient été récemment évacués de villages voisins, mais la majorité étaient des réfugiés venus de villages au nord, au sud et à l'ouest, qui avaient abandonné leur maison depuis longtemps et se déplaçaient depuis des mois, voire, pour certains comme Dinesh, près d'un an. Chaque fois qu'ils avaient établi un camp quelque part ils avaient espéré que ce serait la dernière avant que le mouvement finisse par repousser le gouvernement, et chaque fois l'avancée des bombardements les avait de nouveau obligés à plier bagage et à se déplacer plus loin à l'est. Ainsi par à-coups ils avaient traversé toute la province du Nord dans la largeur, poussés par les pilonnages dans une poche de territoire qui se réduisait comme peau de chagrin au nord-est, jusqu'au jour où, entendant parler de l'hôpital divisionnaire encore en fonctionnement et du camp qui avait commencé à se former autour, dans une zone que le mouvement leur avait certifié être sûre et imprenable par l'armée, en proie au désespoir, ils avaient fini par s'installer dans le camp, imités chaque jour par toujours plus de monde, chaque groupe s'ajoutant à la colonie de tentes autour de l'hôpital, pareille à un temple gigantesque qui s'érige autour d'un minuscule tombeau doré. Les premiers obus ne s'étaient abattus sur le camp que deux semaines auparavant, et sur l'hôpital la semaine précédente, et depuis lors les bombardements s'étaient intensifiés de jour en jour. Chaque attaque parsemait la zone densément peuplée de dizaines de cercles de terre noire carbonisée, dont la plupart ne restaient vides qu'un court moment avant d'être investis par de nouveaux locataires. Le moindre recoin du camp était bombardé, même l'un des bâtiments de l'école abritant la clinique de fortune avait été frappé, malgré sa petite taille, et durant les deux ou trois derniers jours, probablement un septième ou un huitième des réfugiés avaient été tués. On disait que l'ultime assaut visant la zone serait porté dans les jours à venir, que l'hôpital divisionnaire cesserait bientôt de fonctionner, que même le médecin et son personnel envisageaient d'abandonner la clinique et de s'installer plus à l'est, en conséquence de quoi certains avaient déjà commencé à plier bagage. Quelques-uns essayaient de passer en territoire gouvernemental dans l'espoir d'y être acceptés, bien que les combats sur les lignes de front fussent certainement trop violents pour qu'ils pussent s'en sortir vivants. S'ils surprenaient qui que ce soit en train de s'enfuir, les membres du mouvement tiraient, et même si quelqu'un arrivait à passer de l'autre côté, personne ne pouvait prédire ce que les soldats lui infligeraient à son arrivée. La plupart des réfugiés envisageaient plutôt de pousser plus à l'est, près de la côte et loin des lignes de front, en dépit de ceux qui affirmaient que là-bas les bombardements étaient probablement tout aussi intensifs et qu'il valait mieux ne pas bouger. À quoi bon se déplacer toujours dans la même direction par habitude, protestaient-ils, il ne restait plus qu'un petit bout de terre, et à moins de deux kilomètres ils atteindraient la mer et il n'y aurait alors nulle part où aller. Environ une semaine auparavant avait circulé une histoire au sujet d'un groupe de vingt-cinq ou trente personnes qui étaient montées à bord d'un bateau de pêche abandonné dans l'espoir de parvenir à accoster en Inde. Deux jours plus tard, l'embarcation s'était échouée sur la même côte, avec à son bord les cadavres bleu ciel et gonflés de quelques adultes et plusieurs enfants criblés de balles. C'est pourquoi la meilleure option était simplement de rester dans le camp jusqu'à la fin des combats, concluaient-ils, de se terrer dans les tranchées-abris à chaque pluie d'obus et d'espérer rester indemne jusqu'à la fin.

Inutile de dire que Dinesh était un peu sceptique quant à cette vision du déroulement des choses. Il n'avait aucune preuve tangible qu'il allait mourir plutôt que survivre, mais peut-être parce que dans des conditions pareilles il est plus facile de croire quelque chose que de rester dans l'incertitude, il tendait à pencher pour la première possibilité. Les combats ne donnant aucun signe d'affaiblissement, ce n'était qu'une question de temps, pressentait-il, avant qu'il se fasse tuer dans un bombardement ou enrôler puis tuer au front. Et le cas échéant, s'il ne lui restait en effet que quelques jours ou quelques semaines à crédit, un mois tout au plus s'il avait de la chance, alors ce qui devait primer dans sa décision c'était d'employer au mieux son solde de temps, auquel cas peut-être le mariage était-il sensé. Peut-être serait-il bon pour lui de passer le temps qu'il lui restait en compagnie d'un autre être humain. Il avait beau avoir passé la majorité de l'année qui venait de s'écouler entouré par un nombre incalculable de gens, impossible de savoir la dernière fois qu'il avait véritablement ressenti un lien avec quelqu'un. Il n'arrivait même pas à se rappeler ce que ça faisait de passer du temps avec une autre personne, d'être tout simplement en compagnie de quelqu'un, et peut-être que cela vaudrait la peine de le faire s'il le pouvait. Dans le fond, mourir ne signifie-t-il pas être séparé des autres humains, de l'océan de leurs gestes, de leurs démarches, de leurs bruits et de leurs regards dans lequel on a flotté de si nombreuses années ? Cela ne signifie-t-il pas abandonner la possibilité de créer un lien avec un autre être humain, lien que jusque-là la présence des autres avait toujours permis ? À moins qu'au contraire mourir ne signifie avant tout être séparé de soi, être séparé de l'ensemble des détails personnels et intimes qui en sont venus à constituer notre vie. Si tel était le cas, il devrait assurément essayer d'être seul, de consacrer le temps qu'il lui restait à graver dans sa mémoire la forme de ses mains et de ses pieds, la texture de ses cheveux, de ses ongles et de ses dents, à éprouver une dernière fois le son de sa propre respiration, la sensation de sa poitrine qui s'ouvre et se contracte. Ce que signifiait mourir, il n'avait évidemment aucun moyen de vraiment le savoir, c'était un sujet sur lequel il n'était pas en mesure de réfléchir clairement. Cela dépendait probablement de ce que signifiait vivre, or bien qu'il eût été en vie depuis un moment, il lui était difficile de se rappeler si ça avait signifié être avec d'autres humains, ou avant tout seul avec lui-même.

Il remarqua que le sol ne défilait plus sous ses pieds. Manifestement il s'était arrêté, depuis combien de temps était-il figé là en revanche, il n'en avait aucune idée. À la nudité poussiéreuse de l'endroit, il comprit qu'il était proche de l'extrémité nord-est du camp, assez loin désormais de la clinique. Déployées autour de lui et cernées à l'horizon par des taillis poussiéreux et des arbres fatigués aux branches pendantes se trouvaient quelques tentes blanches, ajouts les plus récents du camp, soutenues par des bâtons qui ne mesuraient guère plus d'un mètre. La zone alentour était jonchée d'objets, de sacs, de paquets, de pots, de casseroles et de vélos, et à côté, allongés ou accroupis au sol, il y avait des groupes de trois ou quatre personnes, dont certaines dormaient, d'autres simplement attendaient ; autant qu'il pouvait voir, pas une ne parlait. Il passa devant une femme assise toute seule qui mangeait compulsivement du sable à même le sol — poignée après poignée, sans mâcher puisque le sable ne se mâche pas, se contentant de déglutir après avoir mélangé les grains avec sa salive —, et se dirigea vers un arbre maigre sans feuilles. Il se laissa tomber à son pied avec lassitude, laissa l'écorce exercer une pression agréable contre son dos, et étira ses jambes de façon que les muscles de ses cuisses, exténués par tout ce pelletage, pussent enfin se détendre. Penché en avant, il enfouit son visage dans ses mains. Il n'avait pas fermé l'œil la nuit précédente, presque pas de la semaine. Il ressentait un élancement au plus profond de son crâne et ses yeux étaient lourds, comme si du plomb s'était accumulé en bordure des paupières, les étirant au point qu'elles deviendraient bientôt translucides. Il les laissa se fermer et les massa en profondeur à l'aide de ses pouces, écouta le sang palpiter doucement à travers le mince tamis de peau, battre lourdement sur ses yeux fatigués. Il avait bien essayé d'aller se coucher, mais, quels que fussent son degré de fatigue et ses essais répétés, il n'arrivait jamais à dormir très longtemps ni profondément. C'était toujours un sommeil léger, superficiel et facilement interrompu. Peut-être parce qu'il est difficile de dormir dans un endroit qui n'est pas familier, comme quand on fait un nouveau trajet en bus ou en train et qu'on a toujours un peu peur qu'il nous arrive malheur si on somnole, de se faire voler son sac ou de rater son arrêt. Pourtant cela faisait près de trois semaines que Dinesh se trouvait dans le camp, et il avait beau ne pas s'y sentir chez lui, en tout cas il n'était plus un parfait étranger, le petit espace qu'il s'était aménagé dans la jungle juste au nord-est de la clinique était tranquille et confortable, un endroit où il pouvait se reposer quand bon lui semblait, en sécurité comme dans sa propre chambre. Il s'y rendait chaque soir pour s'allonger, mais dès qu'il fermait les yeux et qu'il commençait à sombrer, bercé par le doux roulis de sa conscience en partance pour le rêve, il sentait soudain enfler en lui une hésitation ou un mauvais pressentiment. C'était comme si, en s'endormant, il s'exposait à un danger qu'il ne pouvait éviter qu'en restant éveillé : s'il s'abandonnait complètement, le sol allait céder sous son corps et Dinesh basculerait dans l'obscurité vers un choc auquel il n'avait pas envie de se confronter.

Il y avait, toujours, avant les bombardements, l'espace d'une microseconde avant que la terre commence à trembler, un murmure lointain, comme de l'air qui traverse à toute vitesse un tube étroit, un vlouf ! qui se muait, de façon indiscernable, en un sifflement. Ce sifflement se prolongeait, puis, peu importait où on se trouvait, il y avait une vibration incertaine, le frémissement de la terre sous les pieds, suivi par une déflagration d'air chaud sur la peau, et puis, enfin, l'explosion assourdissante. Une explosion retentissante, insupportable, immédiatement suivie par d'autres, mais tellement retentissante qu'aussitôt après on n'entendait plus la suite. On ne percevait plus qu'une absence de son envahissante, comme une série de vides ou de vacuums tellement gigantesques dans la sphère sonore qu'on n'entendait même pas le son de la pensée. Le monde devenait mutique, tel un film muet, c'est pourquoi les bombardements apportaient souvent à Dinesh un sentiment d'apaisement. Il ne se levait pas d'un bond, ne courait pas non plus se mettre à l'abri, il restait d'abord debout, immobile, prenait une grande inspiration et regardait autour de lui avec stupéfaction, quelque peu confus, aussi, comme si le fil qui avait guidé ses mouvements dans le calme précédant le bombardement avait brusquement été coupé. Il essayait de s'orienter, puis alors seulement commençait à marcher, lentement, calmement, non pas vers une des tranchées-abris construites un peu partout dans le camp mais vers la portion de jungle qui séparait la côte de la frontière nord-est du camp. En se baladant un jour au hasard, il avait trouvé un petit bateau de pêche en bois que quelqu'un, le propriétaire probablement, avait tiré à l'intérieur des terres et retourné dans l'espoir que son embarcation y serait plus en sécurité que sur la plage. Malgré la mousse qui avait commencé à envahir la surface peinte, le nom, *Sahotharaa*, était encore visible, à l'envers près de l'avant. Le plat-bord du bateau s'incurvant vers la proue et la poupe, Dinesh avait découvert qu'il pouvait se glisser dessous au niveau du mitan et se réfugier dans son abri sombre, frais et intime. L'air était légèrement confiné mais le bateau étant long, il y avait de la place à l'intérieur pour s'étendre, voire dormir, même si pour une raison mystérieuse Dinesh ne pouvait pas s'allonger quand les bombes tombaient. Non, il s'asseyait, les épaules voûtées pour ne pas se cogner au plafond bas, les jambes repliées devant lui, les bras passés autour des genoux. Il restait assis là des heures durant, lui semblait-il, à contempler le sol devant lui, le bois craquant à chaque nouvelle explosion, des bourrasques d'air chaud s'engouffrant à l'intérieur avant de refluer par les espaces entre le sol et la coque, et, comme il relâchait son corps au lieu de le tendre, il se sentait vibrer quand la terre tremblait. En pareils moments, il se sentait toujours étrangement désincarné, comme s'il s'observait de l'extérieur, regardant ses deux mains se serrer convulsivement et ses doigts s'entremêler à leur guise. Il écoutait, passif, sa poitrine s'ouvrir et se contracter, l'air entrer et sortir de sa bouche, et il restait comme ça, à inspirer et à expirer, longtemps après la fin du bombardement.

Tout le monde ne réagissait pas de cette manière, évidemment, Dinesh non plus, au début, quand sa mère était encore en vie et qu'il était moins résigné à tout ce qui se passait autour de lui. Au début, il se confondait avec le branle-bas général, les cris, les hurlements, les tentatives désespérées de trouver amis et parents avant que le bombardement devienne si violent que tout le monde devait s'arrêter de bouger. À l'aide de planches et de briques dénichées dans les bâtiments voisins, les gens du camp, œuvrant ensemble, avaient réussi à construire des centaines de tranchées-abris dans lesquelles se cacher pendant les pilonnages, dont certaines atteignaient jusqu'à deux mètres de profondeur, même si la plupart n'en faisaient qu'un et ne pouvaient loger en largeur que neuf ou dix personnes recroquevillées, les corps entassés les uns contre les autres. On stockait à côté des ouvertures des feuilles de cocotier et de borasse, au mieux des plaques de tôle ondulée, et quand venait le moment de se terrer, les gens descendaient dans les abris et tiraient ces protections au-dessus de leur tête. Les tranchées n'étaient d'aucun secours si un obus atterrissait juste à côté et, même si elles limitaient les dégâts des shrapnels, de loin les plus dangereux et les plus meurtriers, leur avantage majeur était de procurer le confort d'être entouré par quatre murs tout proches, un sol et un plafond, et ceux qui s'y réfugiaient étaient alors pareils aux autruches qui, par grand danger, préfèrent au lieu de s'enfuir creuser la terre et y enfouir la tête, sans tenir compte du fait que leur corps est complètement exposé. Alors que le sol répercutait la force de l'explosion, que les parois argileuses s'effritaient, ils restaient assis dans l'obscurité de ces abris, le corps figé, sous tension, tandis que dans leur crâne les idées se pourchassaient comme des particules de gaz dans un container chauffé à blanc : ils estimaient le lieu de chaque impact par rapport à eux, se demandaient si des connaissances avaient été blessées dans telle explosion, prédisaient où allaient tomber les obus suivants en se fondant sur divers schémas et révisaient leurs modèles quand ils se fourvoyaient, confortés cependant par la seule petitesse de l'espace et la respiration, hachée ou régulière, rapide ou lente, des autres compressés autour d'eux.

S'il leur parvenait la nouvelle qu'une connaissance avait été tuée dans les bombardements, les femmes se mettaient à se frapper la poitrine en hurlant. Elles se cognaient la tête contre les murs et se tiraient violemment les cheveux au point de les arracher à la racine, si bien qu'à la fin de chaque attaque, nombreuses étaient les tranchées jonchées de touffes de longs cheveux sales. Si un proche était touché à l'air libre, elles se ruaient hors de leur abri avec force pleurs et hurlements et, levant un visage implorant vers le ciel, essayaient de traîner le blessé en sécurité, le tirant par une manche de chemise ou une jambe de pantalon, une main ou un pied, voire une poignée de cheveux, même s'il devenait évident que la personne était morte. Les hommes, eux, étaient en général plus calmes, parfois presque impassibles. Avec peut-être une seule et unique larme qui coulait en silence sur leur visage, lentement, sans mot dire, ils se dirigeaient vers les cadavres de leurs parents devant lesquels ils s'agenouillaient, alors même que le sol tremblait et que les bombes explosaient autour d'eux. Ils s'asseyaient à côté de leurs êtres chers et sanglotaient sans bruit en se balançant d'avant en arrière, indifférents à tout ce qui se passait autour d'eux. Tendrement, ils caressaient le visage et la poitrine du cadavre. Doucement, ils lui massaient les paupières, lui frictionnaient les bras et lui baisaient les mains. Penchés en avant, ils enfouissaient leur visage dans le cou de la personne décédée et inspiraient profondément, comme pour graver dans leur mémoire son odeur caractéristique. Alors que les femmes rappelaient à Dinesh les queues sectionnées des geckos, qui s'agitent en tous sens encore longtemps après que le corps qui les a soutenues si longtemps est parti, refusant courageusement de perdre espoir même après que la source de toute vie et signification a été détruite, les hommes, eux, lui rappelaient les grenouilles dont on lui avait parlé jadis à l'école, et dont les scientifiques sectionnent la colonne vertébrale afin d'étudier la différence entre l'hémisphère gauche et l'hémisphère droit du cerveau. Contrairement à celles qu'on voit dans les mares et les flaques, dont la peau humide toujours se détend et se contracte et dont la voix profonde et satisfaite toujours s'élève et redescend, incarnation de la prospérité organique, ces grenouilles mutilées sont complètement immobiles et silencieuses, indifférentes à tous les stimuli, passives même quand on les tapote ou les titille avec un bâton. Ont-elles faim ou soif, sont-elles calmes ou effrayées ? impossible à dire car leur seul mouvement survient quand on les fait basculer, à quoi elles réagissent simplement en se remettant droites, avant de redevenir impassibles, et ce jusqu'à leur mort.

Une fois le bombardement terminé, un profond silence envahissait le camp. Les gens mettaient toujours du temps à se rendre compte que c'était terminé, car ils avaient tous les yeux fermés, les mains plaquées sur les oreilles, le visage collé au sol. Personne dans le camp ne pouvait affirmer avec certitude à quel moment le silence assourdissant du bombardement était remplacé par le doux silence de l'immobilité, et puis deux précautions valent toujours mieux qu'une, car il arrivait que le déluge de bombes ne cesse que dix ou quinze minutes et recommence brusquement, comme pour les leurrer afin qu'ils sortent à l'air libre aider les blessés. Ce n'est que bien plus tard, une fois qu'ils avaient enfin recouvré leurs sens, quand ils commençaient à sentir la chair brûlée et à entendre les cris des blessés, qu'ils pouvaient être sûrs que le bombardement était terminé. Et même alors, la plupart restaient figés sur place, le visage vide. Un petit nombre, chaque fois un peu plus grand, affichait des sourires inhumains, distordus, vrillés. Ils frottaient le tissu de leurs sarongs et de leurs robes, roulaient des morceaux de terre dans leurs mains et riaient bizarrement, murmuraient dans leur barbe. Une fois, après un bombardement, Dinesh avait vu un homme au bras amputé errer comme à la recherche de son membre manquant : il ramassait les différents avant-bras qu'il trouvait par terre et essayait chacun d'eux comme s'il s'achetait de nouveaux vêtements, faisant une moue insatisfaite chaque fois que la taille ou la couleur de peau ne correspondait pas. Ceux qui le pouvaient se ressaisissaient et commençaient à s'affairer au chevet des blessés et à rassembler les morts. Comme il n'y avait pas assez de pétrole pour brûler tous les corps, ils se contentaient de les enterrer, emmaillotant chaque cadavre dans du tissu ou des bâches avant de les déposer au fond de fosses creusées dans des sites proches des limites du camp, à moins qu'une bombe ne soit tombée sur un abri, auquel cas on se contentait de le remblayer. Durant les quelques jours précédents, le travail du creusement des tombes étant devenu par trop colossal, la plupart des cadavres qui n'étaient pas réclamés par des proches étaient simplement recouverts de bâches ou de feuilles, voire laissés tels quels à l'endroit où ils avaient été trouvés. La majorité des corps n'étaient pas entiers de toute façon, alors il semblait quelque part plus décent de les laisser comme ça que d'enterrer uniquement les plus gros morceaux qu'on arrivait à trouver.

Un sentiment étrange s'emparait toujours de Dinesh lorsqu'il errait dans le silence d'après le bombardement. Même s'il avait une tâche précise à effectuer, s'il creusait une tombe pour les morts, ou s'il aidait à transporter les blessés à l'hôpital ou à la clinique, il avait l'impression de ne pas savoir exactement ce qu'il faisait ni où il allait. Il errait longtemps dans le camp calciné sens dessus dessous, perdu, désorienté, telle une feuille détachée de son arbre que le vent souffle au hasard sur une terre aride, sans lien avec la moindre chose vivante. C'était peut-être semblable au sentiment qu'il avait petit quand on le laissait seul à la maison, quand il s'inquiétait d'abord du fait que sa mère et son père tardent trop à revenir, avant de croire qu'ils avaient péri, pleurant avec la certitude de devoir rester seul le reste de sa vie dans un vaste monde inconnu. C'était à la fois semblable et différent, car comment pouvait-on s'attendre à ce qu'il ressente la perte de choses dont il ne se souvenait même plus ? Il avait été isolé de sa maison, de sa famille, de ses amis et de ses biens pendant si longtemps qu'une telle séparation ne lui était plus douloureuse ni même inhabituelle. C'était davantage qu'un simple détachement par rapport à des gens et à des objets jadis familiers qu'il ressentait, davantage qu'une simple sensation d'isolement : en pareils moments c'était avant tout la désintégration de son corps qui lui venait à l'esprit, la désintégration de ses cheveux, de ses dents, de sa peau. Ses ongles qui ne pousseraient plus, sa peau qui ne transpirerait plus. Il percevait de façon si aiguë la défaillance prochaine de son corps que le processus de séparation définitive avait de fait déjà commencé. Toute sa vie il s'était servi de ses mains et de ses pieds, de ses doigts et de ses orteils, alors savoir que bientôt il ne serait plus en mesure de compter sur eux éveillait soudain un sentiment d'abandon et de solitude, comme lorsque dans une gare ou en bord de mer, sur le point d'émigrer loin, on doit dire adieu aux amis et à la famille aux côtés desquels on pensait passer sa vie. Le même sentiment s'emparait de lui quand il songeait à la pilosité de son corps, aux cheveux sur sa tête, aux poils bouclés de ses chevilles, de ses cuisses et de son entrejambe, aux poils fins mordorés de ses bras, et jusqu'aux poils de ses cils et de ses sourcils. Toute sa vie il y avait été indifférent, mais il était désormais impossible de le rester, car après avoir tout traversé à ses côtés, traversé sa vie entière, ils s'apprêtaient désormais à partir pour de bon. Ses yeux et ses oreilles, ses phalanges et ses genoux, mais aussi les organes à l'intérieur de lui, qu'il n'avait jamais vus, jamais songé non plus à remercier, mais qui avaient travaillé pour lui sans relâche, désintéressés, sa vie durant. Quel effet cela ferait-il d'en être séparé, il n'en savait rien, il n'arrivait pas à se le représenter, mais plus il y réfléchissait, plus il comprenait que ce n'était pas tant la peur d'en être séparé qu'il ressentait que la tristesse à l'idée de la séparation.

Il ouvrit les yeux sur la luminosité du monde devant lui. Il s'étira et laborieusement se redressa un peu contre l'arbre sur lequel il était adossé. Soudain il ressentit le besoin pressant de se vider les intestins. Ce n'était pas tant un besoin corporel, car il avait très peu mangé durant les quelques jours précédents, assez peu pour qu'il n'y ait pas d'excédent, qu'un besoin psychologique, un besoin qu'il satisferait peut-être néanmoins physiquement, songeait-il, puisque, après tout, il s'agissait simplement de pousser suffisamment fort. L'endroit le plus proche où il pouvait se rendre était le cabinet extérieur non loin de la clinique, mais en plus de merde il était souillé de sang et de vomi, sur les murs et partout par terre, Dinesh ne pourrait donc pas y prendre son temps. Il voulait un endroit tranquille, un endroit confortable, un endroit où il pourrait prendre son temps. Il y avait une plage isolée où il pourrait aller, même s'il était devenu risqué de s'aventurer trop loin du camp, surtout en direction de la côte, où le mouvement conduisait des patrouilles et où il courait le danger de se faire arrêter et recruter. Sans compter qu'il s'agissait d'une zone trop large et trop exposée, trop ouverte pour offrir l'intimité requise pour couler tranquillement un bronze. Il avait envie de le faire lentement, d'être seul quelque part où il pourrait écouter une dernière fois à son aise le bruit de ses intestins, guetter des indices relatifs à son origine et à sa destination. La plage, certes tranquille, était trop ouverte, et, se sentant observé par quelque œil lointain, il ne s'y sentirait pas complètement à l'aise. Cependant la seule alternative était la jungle qui flanquait le camp au nord et à l'est, or, surtout la journée, d'autres résidents du camp y feraient des allées et venues, voulant pareillement se soulager. Il s'était habitué à chier devant d'autres personnes, évidemment, ou du moins à chier avec la possibilité qu'il y ait du passage, et il pourrait le faire si la situation l'exigeait, mais cela signifierait qu'il ne pourrait pas prendre son temps. En plus la jungle était pleine de broussailles et il devrait s'accroupir sur le sol inégal. Là-bas la terre serait mouillée, ou au minimum humide, l'écorce et les feuilles aussi, or il avait envie d'un endroit sec. Peut-être allait-il se rendre au bord de la mer, finalement, où il y aurait aussi de l'eau pour se laver. Il se trouverait un coin tranquille où il se sentirait seul et pas observé, où il pourrait entendre les vagues lécher le sable, les oiseaux s'appeler au loin dans l'air salé.

Il peina à se lever de contre l'arbre, mais, aussitôt sur pied, son corps se mit à bouger comme s'il savait de lui-même où aller. Semblant léviter, Dinesh traversa le camp désolé pour se diriger vers sa frontière nord, longea les dernières tentes et les groupes silencieux de deux ou trois personnes, pénétra les taillis poussiéreux et jaunissants. Ses pieds négocièrent souplement l'enchevêtrement de racines et d'arbustes, contournèrent ici et là des bouts de corps et des petits tas de merde, le laissant libre d'observer les broussailles qui cédaient place à une végétation et à des arbres plus denses, des feuilles finement veinées et des écorces grises et brunes. En un sens c'était idiot de sa part d'aller à la plage qu'il connaissait, où il risquait de se faire repérer à plusieurs kilomètres de distance faute de prudence. Après tout il était en âge de se battre, de bonne taille bien qu'un peu maigre. S'il était repéré par les canonnières de l'armée, aucun doute, il se ferait tirer dessus, et s'il était repéré par les patrouilles du mouvement il serait enrôlé, et probablement aussi battu pour avoir évité si longtemps le recrutement. De fait, comment il était parvenu à y échapper jusque-là, c'était difficile à dire, car il ne restait désormais presque plus aucun garçon de son âge au camp. Il avait veillé à ne pas emprunter les trajets grouillant de monde durant ses déplacements, évidemment, et à éviter les zones où d'autres civils montaient leurs tentes. Maintenant que la retraite était parvenue à son terme, il restait caché dans la jungle la majeure partie de la journée, et s'il se rendait au camp c'était uniquement dans les heures qui suivaient immédiatement les bombardements, quand la confusion était trop grande pour que quiconque le remarque. S'il ne s'autorisait jamais à trop s'attarder, en vérité il avait pris des risques un grand nombre de fois et ne devait qu'à la chance de n'avoir pas encore été repéré. Dans un sens, il ne lui aurait probablement guère importé de se faire enrôler, étant donné qu'entre ces deux façons de mourir il ne semblait pas y avoir grand-chose à choisir, pourtant, à la réflexion, il était clair que son attitude avait changé. La question du mariage mise à part, il semblait soudain évident qu'il se portait mieux d'être civil car, comparés aux cadres, qui passaient le moindre moment de veille à défendre le territoire encore aux mains du mouvement, les civils jouissaient d'un peu de tranquillité d'esprit. En tant que civil, au moins, il avait le temps de réfléchir, alors qu'en tant que cadre il devrait se battre sur les lignes de front, les oreilles pleines du martèlement assourdissant des armes, et ce jusqu'à ce que mort s'ensuive. Ainsi donc, tout bien considéré, mieux valait éviter d'être vu : qu'importait son projet d'aller chier, au moindre signe de problème, il ferait aussitôt demi-tour et prendrait ses jambes à son cou. Autour de lui, la végétation était devenue plus sèche et moins dense, remarqua-t-il, la terre plus légère et un peu plus sableuse. Il leva la tête et se rendit compte qu'il distinguait l'horizon devant lui, puis peu après, derrière de petits buissons et quelques cocotiers solitaires, la mer. Il retira ses tongs qu'il tint à la main, sentit les grains de sable fin s'accumuler sous la voûte de ses pieds et entre ses orteils. Caché derrière un arbre, il regarda prudemment de gauche à droite, de droite à gauche, puis marcha, pour la première fois depuis des temps immémoriaux, sur la plage.

C'était la fin du mois de janvier ou le début du mois de février, mais l'eau était calme, s'étendant à l'infini telle une plaque de tôle bleue immaculée, sans vagues ni bateaux de pêche. Les pieds de Dinesh s'enfonçaient dans le doux sable blanc et ses maigres mollets fatigués peinaient à chaque pas à soulever son corps désormais lourd, plus du tout léger ni fantomatique. Il se rendit là où la plage descendait en pente douce vers la mer, là où terre et eau se rencontraient et où il était facile de marcher sur le sable blanc humide, lisse et poli. Des demi-cercles d'eau lui léchaient doucement les pieds. Les derniers rayons du soleil filtraient à travers quelques nuages lourds, entonnoir de lumière blanche qui tombait du ciel, illuminant un carré de mer argenté à l'horizon. Bientôt le soleil allait sombrer et le ciel s'obscurcir, Dinesh le savait : il fallait qu'il emploie son temps au mieux. Il se dirigea au nord, le long du doux sable mouillé, vers l'endroit où la côte se fondait dans les premières dunes d'une sorte de désert situé plus loin dans les terres. La plage monta légèrement sur un mètre ou deux, puis le sable commença à se rassembler en renflements silencieux, montant et descendant, formant de larges monticules de sable maritime étincelant qui devenaient indiscernables des dunes. Dinesh avança péniblement vers une anse ceinte par ces collines et qui formait une espèce de plage privée isolée. Non sans effort, il grimpa au sommet d'un mamelon, s'assura d'un regard circulaire que la zone était déserte, puis, las, redescendit au petit trot dans cette crique, près de l'eau. Le sable, sans être détrempé, était tout de même suffisamment humide pour former des pâtés, Dinesh s'agenouilla alors et commença à creuser une petite fosse, découpant avec soin un hémisphère d'un rayon de quinze centimètres.

Non loin de là, dans le camp et disséminés derrière, il y avait des centaines de cadavres en décomposition aux membres éparpillés, des hommes, des femmes et des enfants aux plaies suppurantes, des moustiques bourdonnant au-dessus des vivants et des mouches au-dessus des morts, mais malgré ces rivières de sang et de chair, il restait important, pensait-il, que ses excréments soient correctement éliminés. Il était vital de creuser un bon trou où enterrer sa merde, car l'offrande qu'il apportait à la terre serait vaine faute d'être bien présentée.

Il posa ses tongs sur le sable. Retira sa chemise, l'étendit soigneusement sur ses tongs, puis dénoua son sarong qu'il posa délicatement sur sa chemise. Il resta là en silence, dévêtu sur le sable du soir encore chaud, contemplant le corps d'eau bleu étale qui se déployait devant lui. Il avait beau n'y avoir personne alentour, il était nerveux d'être là, complètement nu, à s'apprêter à adopter une position aussi vulnérable. Les escarmouches avaient beau être rares à ce moment de la journée, il était évidemment impossible d'avoir aucune certitude. Même si le danger de combat était nul, restait toujours la possibilité qu'une canonnière de l'armée passe par là, et le cas échéant, il ne faisait guère de doute qu'on lui tirerait dessus. Il observa l'eau un moment, dont la surface était troublée fugitivement par de menus clapotis au rythme de faibles risées. Il plia lentement les jambes, puis s'accroupit les fesses au-dessus du trou. Faisant porter tout son poids sur la plante de ses pieds et ajustant son corps de façon à être dans une position confortable, il se prépara, puis eut une légère hésitation. S'il était ainsi déjà sans défense, le fait de contracter ses entrailles pour essayer de pousser le rendait encore plus vulnérable. Cela dit une fois qu'il aurait commencé, son malaise se dissiperait probablement, il le savait, alors les yeux levés vers l'entonnoir de lumière qui plongeait sur la mer, il força une fois, puis recommença. C'était une sensation étrange de forcer autant tout en regardant le ciel infini et la mer infinie, de s'accroupir au-dessus de son petit trou face au visage gigantesque de la terre. Il détourna les yeux de l'horizon pour se concentrer à la place sur les vêtements étendus soigneusement à côté de lui. Il força de nouveau. Il contracta ses muscles bas et profonds et poussa jusqu'à sentir ses intestins remuer, se déplacer et glisser, tout son maigre et faible corps se débattant pour envoyer une ultime offrande dans le monde. C'était dur d'expulser le moindre déchet corporel alors qu'il n'avait presque pas mangé en deux jours et rien avalé d'autre que du riz gluant des jours entiers avant ça, mais sa crainte d'être vu commença lentement à se dissiper, et il essaya de se détendre, de prendre son temps. Il convoqua une forte pression à l'intérieur de ses intestins puis poussa, fort, et répéta ce cycle jusqu'à sentir enfin une légère humidité lui chatouiller les fesses. Encouragé, il se détendit, puis poussa, se détendit, et poussa, fit de son mieux pour tirer le plus possible de son corps. Il avait espéré remplir le trou au moins à moitié, mais il se rendait compte à présent qu'il n'en avait aucune chance, la délicate substance brune qu'il expulsait n'en couvrirait même pas le fond. Il fit un dernier effort, puis se décala et approcha son visage du trou afin d'inspecter sa production. C'était mou et léger, une mousse d'un beige crémeux au-dessus d'un liquide brun aqueux, pareil à l'écume que la mer dépose parfois sur la grève. Dérisoire offrande assurément, mais au moins elle venait de lui. Au moins, elle avait une odeur familière. Ce n'était ni copieux, ni lourd, ni rond, mais il l'avait faite lui-même, avec son corps maigre et faible, et la terre, il le savait, lui en serait reconnaissante.

Lentement, il commença à combler le trou. Il remplit ses poings de sable, qu'il laissa ensuite s'écouler entre ses doigts, saupoudrer la merde d'une couche régulière. Lorsque la surface de l'écume fut entièrement recouverte, il remplit le reste du trou avec deux ou trois grosses poignées, puis lissa le dessus afin qu'une simple inspection ne suffise pas à en révéler l'emplacement. Il s'allongea à plat ventre à côté, de sorte que ses coudes et ses genoux appuyaient contre le sable, de sorte que le sable chatouillait ses membres nus. Les yeux clos, il écouta les vagues glisser doucement sur le rivage, le bruit de l'eau qui s'enroulait et se déroulait sur la grève. Il sentait sa poitrine s'ouvrir et se contracter, l'air le pénétrer et partir et, baissant la tête, il se laissa imprégner par l'odeur légèrement sulfureuse qui émanait encore du trou bouché, dernière trace de son ultime défécation. Il caressa avec trois doigts le sable devant lui, traça des lignes superficielles à la surface de la terre généreuse qui pendant tant d'années lui avait fourni un espace où dormir et se tenir debout. Il enfonça profondément la main dans le sable et serra fort le poing de façon à sentir les grains rêches lui meurtrir la peau, en porta une poignée à son visage et inspira pour graver dans sa mémoire cette étrange odeur sèche de sel et de poussière humides qu'il ne sentirait probablement jamais plus. Une fois encore il approcha son visage du sable chaud au-dessus du trou et inhala, mais il ne sentait déjà plus la présence ténue de sa merde.

Il se leva, se dirigea vers la mer et se lava, aspergea d'eau fraîche ses jambes et ses fesses. L'eau était propre, claire, il fut soudain pris du besoin impérieux de se baigner, de nettoyer son corps du sang et de la crasse qu'il avait charriés sur sa peau des semaines durant. L'eau était tentante mais il ferait probablement mieux d'attendre, il le savait, car il avait déjà passé assez de temps sur la plage, il était inutile d'exagérer. S'il le voulait, il pourrait se laver plus tard dans l'un des puits autour du camp, là-bas l'eau serait moins salée et il arriverait peut-être même à trouver du savon. Il redressa son corps nu et contempla la surface placide de la mer, que la colonne de lumière n'éclairait désormais plus. Les nuages, encore faiblement illuminés par endroits, s'étaient épaissis, et l'horizon s'était assombri. Sans prévenir, le ciel rayonna d'une incandescence argentée. Un mugissement effroyable retentit en aval de la côte, Dinesh tressaillit, s'enfonça dans l'eau. Il resta accroupi, les mains sur la tête, les yeux fermés, le cœur battant. Il y eut un silence tendu, lourd, suivi, au bout d'un moment, par un léger crépitement, comme si on déversait de minuscules perles de verre sur la surface de la terre. Alors qu'il ouvrait prudemment les yeux, Dinesh sentit d'imperceptibles pointes d'humidité sur sa peau, et en levant la tête il vit la pluie balayer la vaste mer silencieuse, zébrer l'horizon, d'abord fine comme de la bruine, puis plus drue. Les gouttes tombaient du ciel pareilles à des épingles, accélérant dans leur chute, se regroupant en dévalant l'atmosphère, chacune apportant sa masse et sa vitesse aux autres qu'elle rejoignait sur son trajet, devenant plus rebondies et plus denses jusqu'à enfin heurter la terre, où elles se désintégraient sur ses surfaces solides et liquides. Des milliers de boulettes minuscules perforèrent la mer étale puis, tout aussi discrètement qu'elle avait commencé, la pluie cessa.

2

Alors qu'il retraversait la végétation, Dinesh avait dans les entrailles une agréable sensation de légèreté, l'impression de n'être plus encombré, qu'il essaya de préserver en se déplaçant d'un pas lent et délibéré, avec le moins de mouvements brusques possible. Ses pensées s'étaient orientées, pour la première fois depuis la demande en mariage, vers la fille de Mr Somasundaram, comme s'il ne se rendait compte que maintenant qu'être marié signifiait passer le reste de sa vie avec une personne bien précise, et que la réussite d'un mariage dépendait de la nature de cette personne. Ils ne s'étaient jamais véritablement parlé, mais il se rappelait avoir déjà vu Ganga plusieurs fois aux alentours de la clinique : grande, émaciée, silencieuse, les yeux toujours baissés. La toute première fois qu'il l'avait vue, et c'était probablement la seule raison pour laquelle il l'avait reconnue par la suite, il marchait dans le camp après un bombardement aussi bref qu'intense. En passant devant un attroupement, il s'était arrêté pour voir ce qui se passait et, dressé sur la pointe des pieds, il avait vu, au centre du cercle formé par les badauds, une fille seule par terre à côté de deux cadavres. La fille peinait à respirer, haletant presque. Le haut de son corps chancelait d'avant en arrière, ses deux longues tresses pirouettaient gracieusement sur ses épaules. À un ou deux mètres derrière elle se tenait un homme, Mr Somasundaram : les yeux écarquillés, sans ciller, il contemplait les deux cadavres comme si de rien n'était. Les gens observaient autant la fille que lui, plus lui d'ailleurs, mais il fallut un moment à Dinesh pour comprendre que c'était parce que les corps au sol étaient sa femme et son fils, et que c'était sa fille, penchée sur eux. En la regardant porter la main inerte de sa mère à son visage et la presser contre sa joue, se répéter d'une petite voix chevrotante que c'était cette même main qui l'avait nourrie, giflée et nettoyée, Dinesh s'était efforcé de comprendre ce que ça devait faire de perdre simultanément une mère et un frère. Une chose similaire avait beau lui être arrivée plus tôt pendant la guerre, il avait du mal à se le représenter précisément car il avait été coupé depuis très longtemps de ce sentiment. À l'évidence, ça devait provoquer un certain bouleversement. La fille devait avoir du chagrin, car les obus qui avaient tué les deux membres de sa famille avaient explosé seulement deux heures ou deux heures et demie auparavant. Dans son visage, outre, voire en contraste avec la douleur qu'on lisait sur ses traits contorsionnés, il y avait, songeait Dinesh, sous ces contorsions, quelque chose d'étrangement digne, quelque chose de solennel, presque strict, dans son expression. À ses yeux humides et à sa façon de pincer les lèvres entre deux gémissements, on aurait dit qu'elle était déjà parvenue à une compréhension de sa situation, à une sorte d'acceptation douloureuse mais détaillée de son sort. Sa mère et son frère étaient morts, mais le monde ne s'arrêterait pas de tourner, semblait-elle admettre. L'après-midi se muerait en soir, les bombes continueraient à tomber et, plus vite elle se résignerait aux événements et continuerait à vivre, mieux ce serait. Si pour le moment elle laissait son corps s'enrouler autour de ceux de sa mère et de son frère, si elle se laissait aller à trembler, pleurer ou frémir, ce n'était pas parce qu'elle n'avait pas conscience de la réalité mais parce qu'elle savait que son corps devait réagir d'une façon précise aux événements, parce qu'elle comprenait qu'il ferait ce qu'il avait besoin de faire, qu'elle le veuille ou non, et qu'il était vain d'essayer de l'en empêcher.

Quelques jours plus tard, Dinesh l'avait vue travailler à la clinique pour la première fois, le visage lisse comme une pierre polie, inexpressif et, malgré ses traits émaciés, emprunt de douceur. Non pas qu'elle eût oublié les morts ni qu'elle en eût fait son deuil, car il subsistait encore de petites répliques au cours desquelles elle arrêtait net ses occupations et où l'espace d'un instant elle semblait frissonner, presque flotter, mais ces secousses passaient vite et la majeure partie du temps elle semblait étrangement calme, déterminée. Elle travaillait plus dur que la plupart des autres bénévoles, malgré et presque aiguillonnée par son épuisement, et contrairement à la plupart d'entre eux, hommes et femmes confondus, quel que fût ce qu'elle devait voir ou faire, jamais elle ne donnait l'impression qu'elle allait se trouver mal. Quand il n'y avait aucun travail urgent à accomplir elle se baladait dans la clinique, cherchant par tous les moyens à aider les blessés, lavant leurs plaies et changeant leurs bandages, essayant de les mettre en contact avec les proches dont ils avaient été séparés, à quoi s'ajoutait la tâche de s'occuper de son père, ce qui ne lui laissait guère ne serait-ce qu'une minute, songeait Dinesh, d'immobilité. À deux ou trois reprises seulement, tard le soir, quand tous les blessés qui le pouvaient étaient parvenus à faire abstraction de leur douleur pendant un petit moment et à s'assoupir avant le prochain bombardement, il l'avait vue assise seule en silence dans le camp, mais même là, elle semblait agitée. Elle dénouait ses cheveux, qu'elle laissait reposer un instant mollement contre la courbure de ses reins, puis les tirait fermement sur son crâne, les peignant de façon que pas une mèche ne batifole sur son front ni ses oreilles. Les tenant serrés le plus fort possible, elle les renouait sur le dessus du crâne sans relâcher la tension, si bien qu'à la fin ils étaient plaqués presque à la perfection sur sa tête. Elle restait assise, l'air vaguement perdue, les yeux démesurés dans la beauté austère de son visage, se caressant les cheveux dans un mouvement continu, palpant l'endroit où ils lui tendaient la peau des tempes et le cuir chevelu jusqu'à ce que soudain, comme si elle détectait un relâchement dans la tension, elle les détachât une fois de plus et recommençât tout le processus de nouage encore plus fermement qu'avant, si toutefois c'était possible.

Contrairement à sa fille, Mr Somasundaram, pour une raison étrange, n'avait au début pas semblé affecté par ces morts. Pendant plusieurs jours il avait continué le travail qu'il avait fait dans le camp les semaines précédentes, montant des tentes pour les nouveaux venus, procurant du riz à ceux qui n'avaient pas les moyens d'en acheter, dirigeant la construction de tranchées et de bunkers. Dinesh avait entendu dire qu'il avait été le directeur d'une grande école de filles quelque part, et que cette fonction associée à sa haute taille, peut-être, avait conduit les autres résidents du camp à lui témoigner une sorte de déférence en matière de questions pratiques. Déférence probablement amplifiée par le fait qu'il était l'un des rares hommes du camp à être parvenu jusqu'alors à maintenir sa famille en vie et unie, même si rétrospectivement cela s'était révélé être davantage dû à la chance qu'à une quelconque sagesse ou grâce divine. C'était peut-être parce que lui aussi avait cru en cette aura d'homme capable d'assurer la sécurité d'autrui que Mr Somasundaram n'avait d'abord pas réagi à la mort de sa femme et de son fils. Peut-être ne s'était-il tout simplement pas préparé correctement à cette possibilité. Il ne pouvait consciemment s'être attendu à ce que les bombardements épargnent sa famille, évidemment — au moment où ses proches étaient morts, il devait avoir assisté au destin tragique de suffisamment de familles pour savoir qu'il y avait de grandes chances qu'au final la même chose leur arrive —, mais peut-être était-ce similaire à la façon dont, quand on joue un match, on ne peut jamais vraiment abandonner ni se résigner à perdre avant la toute fin. Même quand on sait qu'on va perdre, même quand on a arrêté de s'échiner depuis longtemps, la réalité de la défaite nous apparaît toujours comme une nouveauté presque incroyable quand le sifflet final retentit ou que le dernier guichet est remporté : le frémissement tiède de l'échec ne s'abat qu'une fois le match perdu, une fois que tout est terminé, parfois plusieurs heures après seulement, et peut-être quelque chose de similaire était-il arrivé à Mr Somasundaram. Difficile de l'affirmer avec certitude, évidemment, mais en tout cas, pendant plusieurs jours après la mort de sa femme et de son fils, il avait continué comme si rien de particulièrement important n'était arrivé dans sa vie. Ce n'est que plus tard, comme s'il avait fallu du temps pour que les informations aussitôt enregistrées par ses terminaisons nerveuses soient absorbées et pénètrent sa peau, que les premiers signes de chagrin avaient commencé à poindre. Il avait commencé à moins travailler dans le camp. Il se reposait plus, parlait moins. Jour après jour ses différentes activités s'étaient amenuisées jusqu'à ce que, finalement, plus de deux semaines après les morts, il ne fît plus rien du tout, se contentant de s'asseoir seul devant sa tente sans presque bouger, secouant la tête ou haussant les épaules si quelqu'un dans le camp venait le trouver dans l'espoir de recevoir conseil ou soutien.

Chaque après-midi et soir, à des heures légèrement différentes selon la configuration du bombardement de la journée, Ganga servait le riz et le dhal qu'elle cuisinait pour son père sur l'une des assiettes qu'ils avaient rapportées de chez eux, puis la posait au sol devant lui. Mr Somasundaram hochait alors la tête, les yeux clos, sans même la regarder, et lui faisait signe de le laisser tranquille. Parfois il mangeait un peu sans y être encouragé, mais le plus souvent il se contentait de laisser l'assiette où elle était. Parfois, d'une voix grave et lente, suffisamment forte pour être audible mais pas assez pour qu'on puisse y discerner la moindre émotion, il disait que le riz était trop sec ou trop pâteux, comme si c'était la seule raison pour laquelle il refusait de manger. Ganga lui rapprochait l'assiette d'une pichenette, fronçait légèrement les sourcils comme s'il négligeait ses devoirs, et insistait pour qu'il mange au moins un peu, car que diraient les gens s'ils découvraient qu'il ne mangeait pas ? S'il persistait dans son refus, elle essayait une autre approche, s'asseyait à côté de lui, l'assiette posée entre eux, et lui faisait bien comprendre qu'elle ne partirait pas avant qu'elle soit terminée : sachant qu'il préférait être seul, elle espérait qu'il obtempérerait ne serait-ce que pour se débarrasser d'elle. Même si elle avait fini par se convaincre qu'il ne pouvait sincèrement pas supporter l'idée de manger, elle s'asseyait là et essayait de le forcer à ingérer la nourriture, comme si elle n'obéissait plus aux souhaits de son père mais à quelque loi supérieure, et ce n'est qu'une fois certaine qu'il ne céderait pas qu'elle finissait par capituler. Elle regardait alors autour d'elle, mal à l'aise, un mélange de colère et de gêne sur le visage, peut-être aussi un peu de honte, puis elle se levait et portait la nourriture à l'une des nombreuses personnes du camp qui étaient littéralement affamées, en prenant soin d'expliquer qu'elle avait fait cuire trop de riz plutôt que de dire que son père n'avait pas faim.

Dinesh était arrivé dans la zone du camp juste à l'est de la clinique, non loin de l'emplacement de la tente de Mr Somasundaram, et depuis plusieurs minutes il scrutait les tentes et les gens déployés devant lui. Il cherchait, se rendit-il compte alors non sans surprise, Ganga et son père. Qu'allait-il faire au juste, il ne le saurait qu'une fois devant eux, qu'une fois qu'il s'entendrait répondre oui ou non à la demande en mariage, mais le fait était qu'il essayait de les trouver, et avec plus d'impatience, probablement, que s'il s'apprêtait à dire non. Comment était-ce arrivé au juste et pour quelles raisons, s'il y en avait, il n'aurait su dire, mais dans quelque obscure région de son crâne la question du mariage semblait déjà avoir été réglée, indépendamment, apparemment, de lui. Peut-être était-ce simplement ça, prendre une décision — attendre patiemment que les différentes possibilités s'accordent en l'esprit de leur propre chef —, ou peut-être, à son insu, une part de lui avait de fait réfléchi activement, car sa décision avait du sens, quand il y pensait, d'une certaine façon. Si la demande en mariage était arrivée plus tôt durant les combats, quand il était encore avec sa mère et qu'ils avaient l'impression qu'ils retourneraient bientôt chez eux, ses considérations auraient probablement été différentes, mais à présent sa mère n'était plus, tout comme la majorité de leurs proches, la majorité des gens du village, aussi. Qui allait lui arranger un mariage, à présent, et pourquoi attendre pour se marier, de toute façon, comme si une autre opportunité allait se présenter à lui ? Le fait était qu'il allait bientôt mourir, et que répondre oui signifierait qu'il pourrait passer ses derniers jours avec une personne, pas seulement avec une personne mais avec une fille, avec une femme, une épouse. Il était idiot de s'inquiéter de savoir s'il renonçait à la chance de passer du temps avec lui-même, car même s'il passait le reste de sa courte vie avec Ganga, ce serait toujours son corps qui serait à côté du sien, et il lui serait toujours possible d'être seul avec lui-même en sa présence. Ce qu'ils feraient ensemble, il n'en savait rien. Comment maris et femmes occupaient-ils leur temps, il n'en avait aucune idée, mais à tout le moins il pourrait s'asseoir à ses côtés, manger à ses côtés, penser à ses côtés, faire avec elle ce que les autres gens faisaient en général les uns avec les autres. Il pourrait prendre soin d'elle, enlacer son corps mince pour la réconforter, l'attirer tout près de lui et la serrer très fort, lui procurer un sentiment de sécurité, et elle pourrait faire de même pour lui. Et qui sait, peut-être même qu'ils pourraient faire l'amour. Quant à savoir ce que cela impliquait au juste et s'il en était capable, il n'en était pas tout à fait sûr, mais c'était ce que faisaient les couples mariés lors de leur nuit de noces ou peu après, il le savait, et peut-être qu'eux aussi pourraient le faire, avant de mourir.

Il aperçut enfin Ganga assise par terre, partiellement cachée derrière une tente. Elle tenait un enfant dans les bras, qu'elle berçait doucement de gauche à droite en le transperçant du regard comme pour voir quelque chose sous son visage. Dinesh l'observa un moment sans bouger, complètement immobile à l'exception des lourdes pulsations de son cœur, puis avança jusqu'à se retrouver juste devant elle, la surplombant presque. Elle ne leva pas tout de suite la tête : ses yeux glissèrent du visage de l'enfant à l'ombre de forme humaine soudain projetée à ses pieds qu'elle étudia avec curiosité puis, comme si elle venait seulement de comprendre qu'elle était d'origine humaine, elle cessa de bercer l'enfant et leva la tête pour regarder le visage de Dinesh. Au lieu d'une robe elle portait à présent un sari, bleu paon vif avec un ourlet doré, et plusieurs bracelets en plastique aux deux bras.

Ses longs cheveux noirs, lavés de frais, étaient tirés en arrière en un chignon sévère qui tendait la peau couleur thé de son visage et faisait ressortir les grands yeux noirs qui le dévisageaient. Il la regarda à son tour un moment avant de se rendre compte que s'il voulait communiquer, il allait devoir parler.

Sœur, dit-il, où est ton père ?

Ganga le dévisagea sans le moindre changement d'expression. Elle haussa les épaules, puis recommença à bercer le bébé, qu'elle serrait désormais plus près de sa poitrine. Il avait les deux yeux ouverts, mais au lieu de faire les bruits et les gestes propres à tout bébé éveillé, il restait complètement inerte, comme s'il ne voulait pas se donner la peine d'entamer la lutte ordinaire de l'enfant pour accepter la vie.

Ton père voulait me parler.

Ganga le dévisagea de nouveau et cette fois-ci une lueur traversa son visage.

Tu es Dineshkanthan.

Dinesh hocha la tête sans trop savoir si c'était une question ou une affirmation. Il attendit qu'elle ajoute quelque chose mais elle se contenta de continuer à le dévisager.

Tu sais où est ton père ?

Si tu es Dineshkanthan, alors mon père a passé l'après-midi à te chercher. Il ne t'a trouvé nulle part. Ne savais-tu pas qu'il te cherchait ?

Dinesh secoua la tête.

Je ne savais pas. Je lui ai parlé ce matin. J'ai travaillé à la clinique tout l'après-midi, et je reviens juste d'une petite promenade, il a dû me rater.

Une promenade ?
Oui. Au bord de la mer.
Au bord de la mer ?
Elle cligna plusieurs fois des yeux.
Pour quoi faire ?
Sans raison.
Il essaya de sourire.
Juste pour regarder la mer.
Pendant un moment Ganga parut ne pas savoir quoi dire. Ses sourcils se froncèrent, se détendirent et se froncèrent à nouveau.
Tu dois être fou.
Dinesh jeta un œil alentour, personne ne faisait attention à eux.
J'ai été prudent, ma sœur, ne t'inquiète pas. Je n'ai pas vraiment été jusqu'à la plage, j'ai juste regardé la mer depuis la lisière de la jungle.
Ganga scruta attentivement son visage, comme pour y chercher des failles. Ses sourcils se froncèrent de nouveau et sa voix se fit impérieuse.
Tu es Dineshkanthan, c'est bien ça ?
Dinesh essaya de hocher la tête d'un air convaincu.
Et toi tu t'appelles Gangeshwari, non ?
Elle ignora sa question.
Quel est ton village ?
Adampan. À Mannar.
Tu es tout seul dans le camp ?
Il hocha la tête.
Et ta famille ?
Il secoua la tête pour indiquer qu'il était seul.
Où es-tu installé ?

Juste au nord-est du camp. Dans la jungle.

Tu ne dors pas dans le camp ?

Non. Mais pas loin. À moins de vingt minutes d'ici.

Ganga reporta son attention sur le bébé, comme s'il n'y avait rien d'autre à dire. Elle l'approcha de son visage et appuya son nez contre sa joue. Il garda les yeux ouverts, mais n'eut aucune réaction. Il ressemblait à un objet inanimé de forme humaine sur lequel on avait greffé des yeux vivants.

À qui est cet enfant ?

Elle haussa les épaules.

C'est un garçon ou une fille ?

Une fille.

Elle désigna une jeune femme aux cheveux gris qui dormait par terre quelques mètres plus loin.

Cette femme s'en occupe, mais ce n'est pas la mère.

Dinesh contempla l'enfant.

Il a un problème ? Il n'a pas l'air bien.

Ganga se leva lentement et, cachant le bébé à Dinesh, s'éloigna de quelques pas. Elle regarda autour d'elle puis, de loin, se tourna à demi vers lui.

Si mon père n'a pas réussi à te trouver, il a dû retourner à la clinique pour rester aux côtés de l'Iyer. Attends une minute, je vais venir avec toi.

Elle se dirigea vers la femme endormie et lui tapota le flanc jusqu'à ce qu'elle réagisse et qu'elle s'asseye. Ganga lui déposa l'enfant dans les bras, puis sans retourner sur ses pas ni attendre, partit en direction de la clinique. Dinesh la regarda contourner avec agilité gens, tentes et objets sur son passage, puis, se rendant compte qu'il était censé la suivre, s'efforça de la rattraper. Il avait vu

Mr Somasundaram veiller au chevet de l'Iyer à la clinique ce matin-là, peu après qu'il lui avait présenté sa demande en mariage, mais bizarrement il ne comprenait que maintenant que c'était dans l'espoir que le prêtre serait en état d'accomplir les rites cérémoniels. Voilà deux jours que le religieux était allongé torse nu sur un sac de tabac à même le sol de la clinique, un petit éclat de fer enfoncé dans le côté de la poitrine. Il pouvait inspirer sans problème, mais n'arrivait à expirer que par à-coups. Il prenait lentement de l'air, de façon à prolonger le plus possible la moitié indolore du cycle respiratoire puis, une fois l'inspiration terminée, marquait une pause pour se préparer à l'expiration, sans avoir laissé ses poumons se remplir ne serait-ce qu'à un tiers de leur capacité, par peur d'avoir trop d'air à expulser. Cette pause était suivie par un brusque soubresaut, une tentative préméditée de tout expirer d'un coup qui échouait invariablement et se terminait en une lente et douloureuse lutte pour extraire l'air restant à l'intérieur de sa poitrine. À la fin de chaque cycle se formaient aux commissures de ses lèvres de petites bulles noires, qui selon le volume d'air expiré se dégonflaient doucement ou éclataient. L'un dans l'autre, le prêtre ne semblait pas en avoir pour très longtemps, alors accomplir des rites de mariage n'en parlons pas, mais malgré tout, Mr Somasundaram essuyait consciencieusement la dégoulinure sur la joue du vieil homme et chassait les mouches qui ne cessaient de se rassembler autour de sa plaie. Elles volaient en essaim autour de presque n'importe quel morceau de chair nue dans la clinique, mais ce n'est que lorsqu'il avait vu Mr Somasundaram les chasser au-dessus de l'Iyer ce matin-là que Dinesh avait remarqué la grande ressemblance de leur rituel quand elles se posaient sur la peau avec celui des fidèles qui vont au temple. Elles repliaient les ailes très respectueusement à l'atterrissage, ployaient les quatre pattes arrière, abaissaient le corps et inclinaient la tête. Les deux pattes avant levées devant le visage, elles frottaient en silence leurs petites mains l'une contre l'autre, comme plongées dans une prière fervente, et ce n'est qu'après s'être prosternées ainsi pendant plusieurs secondes qu'elles posaient avec déférence leurs lèvres sur la chair.

Alors que Dinesh et Ganga approchaient de la zone en face de la clinique, posant prudemment les pieds sur la terre glissante entre les bâches et tous les pieds et les mains qui dépassaient, leurs mouvements se firent plus hésitants. Chaque fois qu'il le pouvait, Dinesh levait les yeux du sol pour regarder Ganga se déplacer avec précaution devant lui, tenant délicatement le bas de son sari afin que l'ourlet ne traîne pas dans la boue. Il était content qu'ils eussent cessé de parler, que pour un temps au moins ils pussent être silencieux. Non pas que leur conversation se fût mal passée ni eût été sans intérêt, car à la vérité il avait été dans un bien trop grand état de choc pour avoir conscience de ce qu'il racontait à Ganga ou pour remarquer les effets de son discours sur son visage. Il avait été trop estomaqué par le fait que ses pensées s'échappaient de sa bouche sous la forme de sons et pénétraient dans la tête de Ganga via ses oreilles, pour prêter attention à quoi que ce fût d'autre, et il était à présent simplement reconnaissant d'avoir l'opportunité de passer quelque temps en silence, afin de se remettre.

Il n'avait pas pris en considération le fait que Ganga et lui pourraient discuter, qu'ils pourraient communiquer, et qu'être mariés signifierait ou du moins impliquerait la parole. Aucun exemple ne lui venait en tête, c'est vrai, mais il ne faisait aucun doute que le mariage impliquait non seulement le partage occasionnel d'informations, mais aussi la conversation, parler pour le simple plaisir de parler. Cela le troublait vaguement, car il n'avait pas vraiment idée de quoi ils pourraient discuter le moment venu, mais plus vraisemblablement, il le savait, la seule raison de son trouble était qu'il s'était récemment habitué à rester silencieux. Il était bien naturel qu'il trouve le bavardage ardu, voire un peu étrange, après avoir passé tant de temps sans converser, et il n'y avait aucune raison de s'inquiéter puisque avec un peu d'entraînement il pourrait probablement s'y réhabituer.

Ils longèrent le plus petit bâtiment de l'école, qui portait toujours les mots « Salle des Professeurs » peints en lettres noires et en caractères gras au-dessus de la porte, pour rejoindre la longue bâtisse rectangulaire qui abritait la plupart des blessés. Des cloisons la divisaient en plusieurs salles de classe, du CP à la cinquième, dont le nom, comme pour la salle des professeurs, était soigneusement écrit au-dessus de l'entrée, et qui étaient toutes utilisées à plein, à l'exception des deux dernières, endommagées la semaine précédente par les bombardements. Dans chacune, chaises et bureaux avaient été retirés de façon à augmenter l'espace au sol, et les blessés étaient allongés orteils contre orteils, torse contre torse, sur des sacs et des bâches déployés à même le ciment. Les seuls indices trahissant que ces pièces avaient servi jusque très récemment à enseigner étaient les tableaux noirs et les affiches encore accrochés aux murs, les alphabets, les emplois du temps, et quelques peintures d'enfants. Dinesh et Ganga longèrent lentement la façade du bâtiment, prenant brièvement la mesure de la situation dans chaque salle à travers les grilles en fer destinées à procurer lumière et air frais aux élèves, jusqu'à atteindre la salle de classe des CM2, où ils s'arrêtèrent prudemment sur le seuil. Mr Somasundaram était au même endroit qu'un peu plus tôt ce matin-là, à l'autre bout de la pièce, contre le mur d'en face, accroupi au-dessus du corps du prêtre au torse dénudé. En cet après-midi, un rayon de lumière chaud tombait sur les deux hommes à travers la grille, et Dinesh et Ganga restèrent un moment à observer Mr Somasundaram qui, avec beaucoup moins de vigueur à présent que le matin, massait tendrement l'Iyer du bout des doigts et des pouces, allant, las, du cou aux épaules et aux bras, tout en contemplant ses propres mains d'un air hébété, comme perdu dans le rythme du mouvement. Même de loin, il était facile de voir que la poitrine de l'Iyer ne bougeait pas, que le sang qui remplissait l'espace entre sa lèvre supérieure et sa lèvre inférieure ne faisait plus de bulles. Il avait dû trépasser sans crier gare, et, inconscient de ce rebondissement, Mr Somasundaram continuait à s'occuper de son corps sans vie. Dinesh attendit près de la porte tandis que Ganga longeait sur la pointe des pieds tous les corps blessés pour rejoindre son père, qui en la voyant cessa son activité et se redressa, légèrement surpris. Son regard passa de sa fille à Dinesh avant de se reporter sur l'Iyer, sur sa poitrine immobile et le filet de sang noir qui avait durci sur sa joue. Silencieux, il contempla longuement le corps, dont il pressa ensuite les mains inertes, ferma délicatement les paupières, puis se mit debout, château branlant. Sans un mot, il passa devant sa fille et Dinesh pour rejoindre l'entrée, où il s'arrêta un instant puis, leur faisant signe de le suivre, partit en direction de l'est. Ils suivirent en silence, Ganga juste derrière, Dinesh à bonne distance, leurs jambes se déplaçant plus vite et avec plus d'assurance à mesure qu'ils augmentaient la distance entre eux et la clinique, jusqu'à ce que, arrivé à sa tente, Mr Somasundaram s'arrête brutalement. Il contempla un moment une flaque d'eau peu profonde que l'averse avait laissée au sol, puis leva les yeux et regarda Dinesh.

L'Iyer est décédé, commença-t-il en prononçant ces mots comme s'il s'était agi d'une information qu'il leur aurait été impossible de détenir. Mais ce n'est pas grave. Dans des conditions pareilles, on ne peut pas s'attendre à ce que les gens suivent les coutumes à la lettre.

Ganga s'approcha de son père.

Que veux-tu dire ?

Elle avait parlé d'une voix grave mais pressante, comme si elle voulait que Dinesh n'entende pas.

Comment pouvons-nous nous marier sans l'Iyer ?

Mr Somasundaram ne quittait pas Dinesh des yeux.

On n'y peut rien. Il faut qu'on fasse ce qu'on a à faire. Dieu en punira d'autres plus sévèrement pour leurs actions.

Mais pourquoi accomplir la cérémonie, dans ce cas ? Pour l'armée ça ne fera aucune différence, ils n'en sauront rien. S'ils nous interrogent, on pourra juste faire semblant d'être mariés.

Mr Somasundaram ne sembla pas entendre la question. Ganga répéta sa dernière phrase mais il ne réagit pas, se contentant de rester là à contempler la flaque devant lui, en réfléchissant à Dieu seul savait quoi. Ganga regarda son père, mi-sérieuse, mi-incrédule. Elle étudiait son visage, semblant y chercher ce qu'elle avait pris jusqu'alors pour argent comptant et n'arrivait plus à trouver, puis soudain, sans prévenir, ses yeux s'éteignirent. Les petits points indistincts en leur centre disparurent dans le liquide de l'iris, et bien que nul cerne ne se formât sous ses yeux et nulle ride ne se creusât sur son visage, elle sembla brusquement, par quelque changement subtil, un peu plus vieille. Elle tourna brutalement les talons et partit vers le nord. Mr Somasundaram continua à contempler la flaque un moment, puis, comme au sortir d'un rêve, ses traits se durcirent. Il fit signe à Dinesh de rester à côté de la tente et partit à la poursuite de Ganga. Qu'il y eût quelque conflit entre eux, cela ne faisait aucun doute, mais mieux valait, savait Dinesh, éviter les conclusions hâtives. Il les observa qui s'éloignaient, le père rattrapant peu à peu sa fille jusqu'à la rejoindre enfin et l'empoigner par le bras pour l'immobiliser. Ils étaient assez loin, et avec toutes les tentes et les gens interposés, il était difficile de distinguer précisément ce qui se passait, mais manifestement ils ne se parlaient pas. Ils se tenaient simplement côte à côte, sans se regarder.

Dinesh se détourna, légèrement agité. Devant lui se dressait la grande tente carrée qui appartenait à Ganga et à Mr Somasundaram, et dont le toit de bâche bleue s'affaissait un peu entre les piquets. Plus spacieuse que les tentes voisines, elle renfermait certainement une petite tranchée, de sorte que la famille pouvait se mettre immédiatement à l'abri quand les bombes commençaient à pleuvoir. C'était là que Ganga et Mr Somasundaram avaient dormi les quelques semaines précédentes, là que les quatre membres de la famille avaient habité quand la mère et le fils étaient encore en vie, et probablement là qu'ils conservaient toutes les affaires qu'ils avaient réussi à emporter de chez eux. Pourquoi, il ne savait trop, mais Dinesh avait envie d'y pénétrer. En y entrant et en inspectant de près ce qu'elle contenait, il serait d'une certaine façon mieux à même de comprendre la situation, se disait-il. Il jeta encore un œil à Ganga et à Mr Somasundaram. Ils étaient trop loin pour lui prêter la moindre attention et, s'il était prudent, il pourrait même arriver à savoir quand ils reviendraient et sortir avant d'être vu. Et même s'il n'en avait pas le temps, il pourrait toujours inventer une excuse le moment venu, car l'opportunité d'inspecter sans encombre tout l'intérieur de la tente ne se représenterait pas, et l'occasion semblait trop précieuse pour la laisser passer. Veillant à ne pas déranger la bâche plus que nécessaire, Dinesh se tapit près de l'entrée. Il hésita un instant, puis passa la tête dans l'étroite ouverture. À l'intérieur l'air était figé et sec, légèrement confiné, et la lumière bleue qui filtrait donnait à l'ensemble un côté intemporel. Un drap était soigneusement étendu au sol à côté de l'entrée, et dessous un morceau de bâche blanche l'empêchait de se mouiller quand il pleuvait. Il y avait au milieu du drap un sac beige dont la toile était renflée des deux côtés à cause du volume des objets qu'il renfermait. Le long d'un côté de la tente se trouvaient une valise en plastique cabossée et un sac en toile plus petit que le premier, et de l'autre côté quelques casseroles noircies, des sacs en plastique contenant du riz et d'autres denrées sèches, et un autre sac en plastique avec plusieurs chaussons et chaussures. Tout au fond il y avait la tranchée, d'une profondeur que Dinesh estimait à près d'un mètre cinquante, et dont les parois étaient renforcées par des poutrelles en bois. Pénétrant un peu plus avant, de sorte que la moitié de son corps se trouvait à l'intérieur, il approcha du sac posé sur le drap et l'observa attentivement, comme pour en tirer quelque vérité cachée. Il avait envie de l'ouvrir et de regarder dedans, geste qui semblait légèrement risqué puisqu'il requérait de pénétrer davantage dans la tente, or quelle excuse aurait-il si Ganga et Mr Somasundaram revenaient brusquement et le trouvaient dans cette posture ? Bien sûr il pouvait ouvrir le sac et en fouiller très vite le contenu, de sorte que toute l'opération serait terminée avant leur retour, mais c'était inutile car une simple inspection superficielle ne permettrait certainement pas de percer le mystère de ce qu'il voulait découvrir. Il se faufila encore un peu à l'intérieur, si bien que ses genoux reposaient sur le drap tandis que ses pieds étaient encore à l'extérieur. Avançant les deux bras, il effleura du bout des doigts les boursouflures du sac, puis, un peu plus à l'aise, caressa le tissu tendu. Il devinait les contours des objets qui se découpaient vaguement contre la surface, appuyait dessus doucement avec la paume des mains dans un effort de représentation. Il ne parvint à aucune conclusion, mais ne redoutant plus désormais de se faire surprendre, il prit délicatement le sac entre ses mains et, les yeux clos, écouta, comme s'il s'agissait du ventre d'une femme portant un enfant, à l'affût du moindre signe de vie, et se serait estimé heureux d'arriver à se faire ne serait-ce qu'une vague idée des objets à l'intérieur, comme si par leur entremise il eût pu parvenir à une meilleure compréhension de la situation.

Quel que fût le sujet de discorde entre elle et son père, Ganga avait raison de dire que le mariage ne changerait pas grand-chose à sa sécurité. Ils pourraient toujours se contenter de faire mine d'être mariés si cela pouvait influer sur la manière dont les soldats la traiteraient, mais il y avait de fortes chances qu'ils usent d'elle à leur guise de toute façon, sans tenir compte de son statut marital. Dans ce cas, pourquoi Mr Somasundaram tenait-il donc tant à cette union, c'était un peu difficile à comprendre. Il était évidemment possible qu'il eût simplement envie de voir sa fille mariée avant de mourir, afin d'avoir la certitude qu'elle ne serait pas seule s'il ne survivait pas, mais cette hypothèse n'était guère plausible car se marier maintenant, il devait le savoir, avait plus de chances de ruiner les perspectives de Ganga que de les améliorer. Le plus probable était qu'ils meurent tous les deux avant la fin des combats, mais au cas où elle survivrait et lui non, elle serait obligée de vivre veuve le reste de sa vie, alors que si elle restait célibataire, il y avait au moins une chance qu'elle puisse trouver un mari par elle-même plus tard. Être mariée n'était donc pas nécessairement dans les meilleurs intérêts de Ganga, et si Mr Somasundaram voulait qu'elle le fût, ce ne pouvait être pour le bien de sa fille mais pour le sien. C'était probablement une façon de se libérer de toute responsabilité vis-à-vis du dernier membre de sa famille, de sorte que n'étant plus responsable de personne, il pourrait méditer sur sa honte, seul enfin et en paix. Que Mr Somasundaram ressentît une telle honte, après tout, cela ne faisait aucun doute. Un père a le devoir d'assurer la sécurité des membres de sa famille, or il avait échoué à assurer celle de sa femme et de son fils. Nul doute qu'ayant fait son possible, il pouvait en un sens s'affranchir de la moindre culpabilité, cela dit le fait qu'il lui eût été impossible de les sauver devait le faire se sentir encore plus mal, pas mieux. Après tout, quel droit avait-il d'endosser les responsabilités de mari et de père s'il n'était même pas capable de garantir la sécurité de sa femme et de son fils ? Un autre homme s'en serait-il mieux tiré que lui à sa place ? telle n'était pas la question, car quel droit avait-il de se marier et d'avoir des enfants s'il ne pouvait pas leur procurer ce qui importait le plus ? Le monde s'était montré injuste envers lui, certes : après avoir été amené à penser qu'il pourrait endosser ces responsabilités, on lui avait ôté toute possibilité de le faire, alors que d'autres en prenant le même risque avaient pu poursuivre tranquillement leur vie, mais quoi qu'il en soit, au bout du compte, chacun doit répondre de ses actes en tant qu'individu. A-t-on oui ou non été capable d'assurer la sécurité de nos êtres chers, voilà ce qui importe, rien d'autre, et lui, au final, n'avait pas réussi. C'était bien naturel qu'il voulût désormais par-dessus tout se voir déchargé de ses dernières responsabilités, afin d'avoir enfin le loisir de réfléchir tranquillement à ses échecs en tant qu'homme.

Voyant qu'il se débarrassait de sa fille via le mariage, les gens diraient qu'il la délaissait, bien sûr, qu'il refilait ses devoirs à quelqu'un d'autre juste pour pouvoir se reposer plus facilement jusqu'à la fin. Cela expliquait peut-être la contrariété de Ganga : elle avait l'impression que son père l'abandonnait. Ce n'était pas nécessairement qu'elle n'aimait pas Dinesh, ni même qu'elle ne voulait pas se marier avec lui, et peut-être que dans d'autres circonstances elle aurait même accepté le mariage de bonne grâce, sans hésiter. Difficile d'avoir aucune certitude, mais quelle que fût la situation de Ganga, il était aussi difficile de ne pas ressentir un peu de compassion pour Mr Somasundaram. Il renonçait aux devoirs d'un père envers sa fille, certes, et c'était inexcusable, mais le fait qu'il se démenât pour prendre des dispositions avant de la laisser au lieu de se contenter de l'abandonner du jour au lendemain ne signifiait-il pas d'une certaine manière qu'il s'estimait toujours autant lié à elle ? Qu'il reste ou non à ses côtés, il ne pouvait plus la protéger, c'était indéniable, de fait il dépendait bien davantage d'elle qu'elle ne dépendait de lui, et pourtant il se sentait encore responsable de son avenir. Même s'il essayait de transférer cette responsabilité, il avait malgré tout l'impression que c'était la sienne de la transférer, il était persuadé qu'elle demeurerait sienne jusqu'à ce qu'elle soit enfin transférée, ce qui signifiait qu'en un sens il considérait toujours Ganga comme sa fille, et même si l'un dans l'autre on aurait pu exiger davantage d'un père, ça n'était quand même pas rien, dans une situation pareille, songeait Dinesh, d'avoir ce sentiment. Environ un mois auparavant il avait vu, pas dans ce camp-là, mais dans l'un de ceux où il avait séjourné auparavant, deux hommes à l'aube de la quarantaine asséner de violents coups de pied à un homme à terre, sous les yeux de sa femme et de son jeune fils qui, restés à distance, gémissaient bruyamment. L'homme à terre pouvait à peine bouger, il roulait à chaque coup et toussait de gros crachats de sang, s'étouffant presque, quand quelques hommes témoins de la scène étaient venus contenir physiquement les assaillants. Ces derniers s'étaient débattus pour retourner se déchaîner sur la victime, mais retenus de force, leur colère s'était progressivement apaisée et, le souffle court, ils avaient expliqué à la foule rassemblée ce qui s'était passé. L'homme qu'ils tabassaient était leur beau-frère, à ce jour marié à leur sœur cadette depuis quelques années. Ça avait toujours été un homme assez nerveux, qui n'avait quelque part jamais semblé complètement fiable ni digne de confiance, et quand les combats s'étaient durcis, chacun de son côté les deux frères s'étaient mis à redouter qu'il abandonne leur sœur et leur neveu et s'enfuie pour échapper à ses responsabilités. Bien sûr ils n'avaient jamais rien dit, honteux de soupçonner un membre de leur famille sans raison valable, et pourtant, en se réveillant ce matin-là, ils avaient soudain découvert qu'il avait disparu. Après avoir vainement attendu son retour plusieurs heures, ils avaient fini par arpenter le camp à sa recherche. Quand ils l'avaient enfin retrouvé, il gisait par terre à demi conscient, très loin de sa tente, une bombe de pesticide à moitié vide à côté de lui. Même fuir demandait trop d'efforts à ce lâche, qui avait préféré essayer de se suicider, leur laissant le soin de sa femme et de son enfant au lieu d'affronter lui-même la situation, comme un véritable mari et père l'aurait dû. En entendant cette histoire, ceux qui retenaient les frères avaient un peu desserré leur emprise sans toutefois lâcher, et essayé de les écarter de l'homme à terre. S'ils le tuaient, ils lui donneraient exactement ce qu'il voulait, avait calmement commenté l'un d'eux en les éloignant, et puis de toute façon il y avait déjà trop de morts sans que les civils se mettent à s'entre-tuer à leur tour. Quand ils étaient enfin partis, la femme de l'homme, qui craignait trop de témoigner la moindre affection à son mari devant ses frères, s'était agenouillée à côté de lui et s'était mise à essuyer le sang de son visage, en pleurant sans bruit avec leur fils qui avait entendu tout ce que ses oncles avaient dit mais qui était trop petit, avec un peu de chance, pour en comprendre le sens.

Des pas approchaient de la tente, les mains de Dinesh se figèrent à la surface du sac. Les pas s'arrêtèrent juste à l'extérieur puis, heureusement, poursuivirent leur route. Il lâcha le sac. Il était quelque peu réticent à quitter la tente, étant donné qu'en dehors du sac il y avait d'autres choses auxquelles il n'avait pas pu accorder suffisamment d'attention, mais il avait déjà passé plusieurs minutes à l'intérieur, mieux valait qu'il parte bien avant le retour de Ganga et de Mr Somasundaram. Il jeta un dernier regard dans la tente et essaya de mémoriser la disposition de tous les objets de façon que ses secrets puissent éventuellement se révéler à lui plus tard puis, lentement, recula dans l'immensité du soir. Le ciel s'assombrissait déjà, il y avait quelque chose d'écrasant dans cette étendue grise gigantesque qui s'ouvrait devant lui après le petit refuge carré de la tente. Il resta un moment accroupi le temps que ses yeux s'habituent puis se leva, légèrement étourdi, et regarda autour de lui. Il scruta la zone jusqu'à repérer Ganga et Mr Somasundaram qui revenaient à pas lents vers la tente, le père devant, la fille environ un mètre derrière. Aucun d'eux ne semblait prêter beaucoup d'attention à son environnement, Dinesh était presque sûr qu'ils ne s'étaient pas rendu compte de son intrusion. Il fit volte-face, faisant mine de contempler quelque chose au sol puis, au bruit de leurs pas, se tourna vers eux l'air légèrement surpris, comme s'il avait eu jusque-là l'esprit occupé ailleurs.

Fils, déclara Mr Somasundaram d'une voix désormais calme et autoritaire. Viens. Tu es toujours d'accord pour te marier, non ?

Dinesh regarda Ganga, qui se tenait à près d'un mètre sur la droite. Elle détournait la tête, on ne voyait rien de son expression. Il se retourna vers Mr Somasundaram. Hésita un instant, puis hocha lentement la tête.

Bien. Il n'y a plus de prêtre pour accomplir les rites du mariage. Et il est impossible de faire une déclaration officielle. Mais le plus important, poursuivit Mr Somasundaram, c'est qu'en tant que père de la mariée, je vous donne ma bénédiction.

Il se tourna alors vers sa fille, qui regardait toujours ailleurs.

Les circonstances sont inhabituelles, mais c'est un mariage comme n'importe quel autre. Vous devrez rester ensemble, veiller l'un sur l'autre et être responsables l'un de l'autre. Et un jour, comme dans n'importe quel mariage ordinaire, vous devrez avoir des enfants et élever une famille.

Ni Ganga ni Dinesh ne réagirent. Mr Somasundaram s'accroupit devant la tente d'où Dinesh venait de sortir, tendit le bras et s'empara du sac beige plein à craquer que Dinesh venait de bercer. Il ouvrit la fermeture éclair et sortit divers objets qu'il disposa sur le sol de la tente à proximité de l'entrée : deux chemises en carton bourrées de divers documents, des sacs en plastique, des vêtements pliés et plusieurs paquets en papier soigneusement emballés, le tout bizarrement très différent de ce que Dinesh aurait pu s'imaginer. Enfin, presque au fond, Mr Somasundaram sortit ce qu'il cherchait : un petit portrait encadré de Lakshmi et une enveloppe en papier légèrement renflée. Il remisa les autres objets dans le sac qu'il essaya ensuite de refermer, mais dans sa hâte il ne les avait pas assez compactés et fut incapable de refermer complètement la glissière. Il plaça le sac à près d'un mètre devant la tente et y appuya le portrait, de sorte qu'il tenait presque à la verticale. Il se leva alors lentement, s'assura d'un regard circulaire que personne ne se trouvait à portée d'oreille, puis s'adressa à Dinesh d'une voix étouffée.

Il y a neuf cents roupies dans ce sac, ainsi que les actes de propriété de notre domaine à Malayaalapuram. Il y a des saris et d'autres objets de valeur aussi, tous les bijoux de ma femme. Tout ça vous appartient à présent. Prenez-en grand soin. Ce n'est pas grand-chose, mais personne ne pourra dire que je ne vous ai pas donné tout ce que j'avais.

Il se mit à ouvrir délicatement l'enveloppe qu'il avait sortie du sac. Veillant à ne pas déchirer le papier plus que nécessaire, il en sortit un mouchoir d'enfant plié. Il glissa l'enveloppe dans sa poche de chemise puis avec déférence déposa le mouchoir sur la paume de sa main gauche. Le dépliant lentement de la main droite, il leur révéla, enfilée sur une mince ficelle jaune, pas plus grosse que le petit orteil d'un enfant, compacte et finement travaillée, une pépite d'or.

Ceci, expliqua Mr Somasundaram en tenant le collier par les deux extrémités de façon que la pépite pendille devant eux, est le thaali de ta mère.

Dinesh et Ganga contemplèrent fixement l'objet comme si ni l'un ni l'autre n'en avaient encore jamais vu. Ils le regardaient quelque peu nerveusement, incertains, aurait-on dit, de son origine et de sa fonction, comme s'il avait pu posséder des pouvoirs magiques susceptibles de se déchaîner brusquement contre eux.

Quand tu seras prêt, poursuivit Mr Somasundaram en regardant Dinesh, tu n'auras qu'à attacher ce thaali au cou de la mariée.

Dinesh regarda successivement Ganga et son père. Il remarqua que deux ou trois personnes du voisinage les observaient avec des visages silencieux empreints de curiosité, ayant eu l'intuition qu'il allait y avoir un mariage. Pour la première fois, il prit conscience de ses vêtements souillés, de son corps crasseux.

Ne devrais-je pas d'abord me laver ? Je ne savais pas que nous allions procéder tout de suite au mariage. Je n'ai rien d'autre à me mettre.

Ne t'inquiète pas, fils, répliqua Mr Somasundaram. Ce n'est pas grave. Pour attacher ce thaali tu n'as besoin que de la bénédiction des parents de la mariée, du père de la mariée. Dans des circonstances comme celles-ci, nous n'avons pas à nous soucier d'autre chose.

Il tendit le thaali à Dinesh, qui le prit maladroitement à deux mains, puis fit signe à Ganga de s'asseoir devant Lakshmi. Elle s'accroupit en veillant à ne pas salir son sari et resta là à contempler la déesse d'un air apathique. Dinesh s'avança entre Ganga et le portrait, et là, tout raide, tenant le thaali à deux mains, il jeta un regard nerveux à Mr Somasundaram, qui lui indiqua d'un mouvement de tête qu'il pouvait y aller. Il s'agenouilla lentement, de façon que la tête de la mariée soit au niveau de sa poitrine, mais il avait beau détourner les yeux, il avait une conscience aiguë de sa proximité. Les cheveux de Ganga dégageaient une forte odeur de savon et d'huile, son sari celle des boules de naphtaline, sari qui lui aussi, peut-être, venait du mariage de ses parents. Prenant une extrémité de la ficelle dans chaque main, Dinesh laissa reposer doucement la pépite d'or sur la peau lisse et brune entre les clavicules de Ganga, puis rapprocha avec précaution les deux extrémités de la ficelle derrière son cou. Il marqua une pause, comme s'il s'attendait à ce que quelque transformation étrange survienne lors du nouage puis, prenant une grande inspiration et se penchant doucement au-dessus de Ganga en veillant à ne pas toucher sa peau, il fit le premier nœud, puis le deuxième, et enfin le troisième. Il marqua une pause, puis se pencha en arrière et le laissa retomber. Leurs yeux se croisèrent un instant. Le monde extérieur à l'axe de leurs regards parut se dissoudre, et pareils à deux êtres humains qui en se rencontrant dans un territoire morne et vide s'arrêtent et tentent par des mots et des gestes de construire une passerelle entre leurs mondes, ils se dévisagèrent et essayèrent, ne serait-ce qu'une brève seconde tremblotante, de transpercer la peau morte et l'air poussiéreux qui les séparaient.

Une douce brise leur caressa les oreilles. Ils étaient mariés.

3

Aimerais-tu aller faire un tour ?

Cette question, bien que prononcée tout doucement, résonna dans le silence, et tous deux prirent soudain conscience de leur environnement. Le croissant de la lune brillait déjà dans le ciel, l'obscurité les enveloppait tel un océan tiède dont les vagues douces et lentes leur léchaient le corps. Combien de temps étaient-ils restés plantés là, à moins d'un mètre l'un de l'autre et pourtant complètement immobiles, impossible à dire. Une fois le thaali attaché et les rares spectateurs dispersés, ils avaient observé un moment Mr Somasundaram qui nettoyait la tente, refaisait le sac beige qu'il leur avait donné et s'assurait que tout le reste était bien à sa place. Quand la tente avait été propre et vide, à l'instar d'une maison prête à accueillir de nouveaux locataires, il s'en était extirpé, avait reculé de quelques pas et contemplé de loin la scène : son gendre et sa fille en couple, la tente derrière eux et le sac beige à leurs pieds. Ils ne devaient laisser aucune circonstance les séparer, avait-il intimé à Dinesh. S'ils venaient à croiser des recruteurs issus du mouvement ou des soldats du gouvernement, ils devraient aussitôt exhiber le thaali de Ganga, de façon qu'il n'y ait aucun doute sur le fait qu'ils étaient mari et femme. Ils devraient expliquer qu'ils étaient mariés depuis un an, et si on leur demandait le certificat de mariage, ils devraient répondre qu'il avait été perdu lors de l'évacuation du village. Dinesh avait hoché la tête, légèrement perplexe quant à la raison pour laquelle il fallait discuter si vite de ces possibilités, et comme pour s'expliquer, Mr Somasundaram avait ajouté qu'il devait retourner à la clinique s'assurer que le corps de l'Iyer était traité correctement. À ces mots, il s'était un peu relâché et ses traits s'étaient détendus. Il les avait contemplés, comme admiratif devant les dernières touches apportées à un tableau qu'il venait d'achever, puis s'était penché pour essayer d'embrasser Ganga, qui était restée raide lorsqu'il lui avait pris la tête à deux mains pour presser ses joues contre les siennes. S'emparant du plus petit sac en toile que Dinesh avait vu un peu plus tôt à l'intérieur de la tente, il les avait regardés une dernière fois avant de se détourner avec une espèce d'irrévocabilité et de s'éloigner, non pas vers la clinique mais plutôt vers le sud-ouest. Ils étaient restés là, les yeux baissés, ni l'un ni l'autre ne sachant quoi dire ni quoi faire, jusqu'à ce que Dinesh finisse par craindre que trop de temps se fût écoulé sans parole ni geste. L'élan créé par le nouage du thaali devait être utilisé dans une autre activité commune quelconque, songeait-il, sinon leur mariage allait s'arrêter au point mort, et donc, s'étirant pour manifester son agitation, il s'était préparé psychologiquement, puis avait fini par parler.

Ganga réagit enfin, elle leva la tête.

Un tour ? Où ça ?

Dinesh essaya de croiser son regard.

Je peux te montrer l'endroit où je suis installé.

Elle réfléchit un moment.

Il faut qu'on surveille le sac jusqu'au retour de mon père.

Prenons-le avec nous dans ce cas, non ?

Ne dis pas n'importe quoi. Et la tente ? On ne peut pas la laisser sans surveillance.

Ça ira, répondit-il avec plus d'assurance. Nous serons vite de retour, personne ne remarquera notre absence.

Ganga garda le silence encore un moment, comme si elle soupesait sa suggestion par rapport à d'autres projets qu'elle avait envisagés pour la soirée, puis accepta. Dinesh s'empara du sac et la guida lentement vers le nord-est à travers le camp. Il écoutait les bruits de pas délicats derrière lui avec étonnement, mais aussi avec une légère appréhension, comme si seule une ficelle particulièrement ténue les maintenait ensemble et qu'il y avait un risque, s'il marchait trop vite, qu'elle casse. Il garda sciemment un rythme lent même à la périphérie du camp, content, par ailleurs, de repousser le moment où ils devraient se tenir une fois de plus l'un en face de l'autre sans rien avoir à se dire. Ils franchirent la frontière nord-est du camp pour pénétrer dans la jungle, qu'ils parcoururent sur une courte distance en esquivant les branches basses et en écartant les plantes grimpantes aux feuilles charnues jusqu'à ce que, sans préavis, à un endroit où la canopée était particulièrement dense, une petite clairière circulaire s'ouvrît devant eux. Malgré l'heure tardive, les arbres environnants étaient assez espacés pour que les dernières lueurs bleues du soir éclairent le tapis de fougères et de buissons, et, s'arrêtant à la lisière, Dinesh s'écarta afin que Ganga puisse avoir une vue d'ensemble. À l'autre bout, partiellement occulté par la végétation alentour, se trouvait le long rocher de forme elliptique à côté duquel il dormait chaque soir : d'une longueur de près d'un mètre cinquante et d'une soixantaine de centimètres de haut en son milieu, il était entièrement recouvert de mousse, douce couche de moquette verte et sèche. S'étant rendu compte au premier regard que cet endroit serait idéal pour dormir, il avait aussitôt débroussaillé l'espace juste devant le rocher, créant un rectangle étroit ombragé par les hautes frondes des fougères environnantes, indiscernable même depuis la lisière de la clairière. Il avait minutieusement arraché chaque brin d'herbe dans ce rectangle, puis tous les galets et les pierres enfoncés dans le sol, dont il s'était ensuite servi pour créer une bordure décorative autour de la zone, une espèce de fortification psychologique ou spirituelle pour son espace dédié au sommeil. Il avait ensuite délimité le lit encore plus concrètement à l'aide de bâtons, mais ayant alors eu l'impression que l'endroit était devenu trop remarquable, que quelqu'un en le voyant comprendrait qu'il était habité, il les avait retirés, de sorte que seule restait la bordure de galets et de pierres. En dernier lieu il avait sculpté un modeste monticule de terre devant la façade nord-est du rocher pour que sa tête repose sur un oreiller, tandis que le reste de son corps avait en guise de lit la terre riche et meuble qu'il s'était donné tant de mal à mettre à nu. Le dos appuyé contre le rocher, non pas pour jouir de la douceur de sa mousse mais pour le sentiment de sécurité qu'il lui procurait, l'assurance qu'aucun danger ne pourrait venir du côté auquel il tournait le dos, il s'allongeait chaque soir en silence dans ce rectangle, sans dormir, penser, ni rien attendre, et en le regardant à présent, en regardant ce rocher moussu lové au cœur de la végétation et les grands arbres au milieu desquels celle-ci était elle-même nichée, Dinesh ressentit un étrange flux de chaleur lui parcourir les joues, le cou et les bras. S'il se sentait déjà en sécurité et à son aise dans cette clairière, en la contemplant à présent avec Ganga à ses côtés il lui semblait qu'il ne pouvait exister lieu plus sûr ni plus confortable n'importe où ailleurs dans le camp.

Ganga observa l'endroit un moment avant de reporter son attention sur Dinesh, comme incertaine de ce qu'il attendait d'elle. Il lui fit signe de le suivre et se dirigea vers le rocher en veillant à ne piétiner aucune plante au passage. Il s'accroupit devant le roc, posa le sac à sa droite afin que Ganga puisse s'asseoir sans salir son sari, puis l'invita d'un geste à le rejoindre. Elle approcha sans mot dire et, comprenant qu'il voulait qu'elle s'asseye sur le sac, souleva l'ourlet de son sari et s'accroupit souplement. Elle ne disait rien, manifestement ni surprise ni curieuse de découvrir cet espace de sommeil secret amoureusement cultivé, comme s'il n'y avait dans ce petit rectangle rien de spécial, aucune qualité digne d'un commentaire. Peut-être avait-elle simplement besoin d'y passer plus de temps. Peut-être la valeur de cet endroit ne s'appréciait-elle qu'à la longue, ce n'était peut-être pas évident tout de suite. Après tout, cette façon dont il était lui-même venu à s'y attacher était étrange. La guerre avait dispersé et massacré sa famille, ses proches et ses amis, et il avait échoué dans ce camp précis, où il avait découvert cet endroit précis, alors que ça aurait pu tout aussi facilement être quelque autre endroit dans un autre lieu. Il n'avait passé ici pas plus de huit ou peut-être neuf nuits, et pourtant, bizarrement, il en était devenu très proche, surtout de ce lit où il s'allongeait chaque nuit, en silence, immobile, sans dormir. Comme si dans les heures qu'il avait passées là son corps avait déversé quelque imperceptible substance chaude dans la terre et dans la pierre, quelque chose qui remplissait cette litière d'une compréhension intime, si bien qu'en somme elle était devenue une part de lui, un endroit spécial, presque un foyer. Qu'avait-il pu déverser, au juste, c'était difficile à dire : une odeur, peut-être, peut-être de la peau morte. Peut-être était-ce simplement le murmure de son corps chuchoté les nuits précédentes, le faible tintement de ses rythmes internes qui continuait à vibrer à travers les particules de terre et de pierre. Peut-être sont-ce simplement ces échos du corps qui résonnent dans les lieux encore longtemps après le départ du locataire et qui font d'un endroit le foyer de quelqu'un, et peut-être le léger frémissement qu'on ressent en retournant dans la maison de son enfance n'est-il dû qu'à eux, qu'à la brusque résonance des pulsations vivantes du corps avec celles qui ont imprégné les lieux longtemps auparavant, comme lorsqu'un diapason frappe un objet plein, qu'on l'éloigne, puis qu'on le rapproche avant qu'il cesse de vibrer. Qu'était-ce au juste qui lui donnait ce sentiment de proximité avec le rocher et le lit, c'était difficile à dire, mais il percevait, sentait ou ressentait que cet endroit se souciait de lui, qu'il prendrait soin de lui. Peut-être Ganga en viendrait-elle aussi à partager ce sentiment, et si ce n'était pas encore le cas, ce n'était pas grave, car de toute façon ce lieu, il en était sûr, l'accueillerait en son sein et assurerait sa sécurité.

Une vague d'air frais balaya la clairière, autour d'eux les fougères s'agitèrent mollement puis s'immobilisèrent. Dinesh prit de nouveau conscience de la présence physique de Ganga à ses côtés. Il n'avait pas encore eu l'occasion de bien la regarder, se rendit-il compte, d'étudier son visage de façon à savoir quel genre de personne elle était et ce qu'elle ressentait. Quand ils avaient discuté un peu plus tôt, il avait été trop distrait, et ensuite, quand ils s'étaient tenus debout en silence après s'être mariés, il avait été trop timide pour la regarder en face. Il se décala alors un peu vers elle et essaya, sans que cela se vît trop, de l'étudier du coin de l'œil. Penchée en avant sur le sac elle regardait au loin, il ne voyait que son profil. De sa place par terre, il n'arrivait pas à distinguer son expression, il ne voyait que la courbe délicate de son long dos et la façon dont l'ourlet de la manche bleue de son vêtement lui enserrait le bras gauche. Il s'appuya contre le rocher avec un mouvement exagéré dans l'espoir d'attirer son attention.

Ce sari est magnifique, dit-il tout haut.

Ganga hocha la tête, le visage toujours détourné.

Il appartenait aussi à ta mère ?

Elle hocha encore une fois la tête, ramassa devant elle l'une des petites pierres qui constituaient la démarcation du lit et se mit à la faire rouler sur la paume de sa main gauche sans appuyer. Le long de son avant-bras, remarqua Dinesh, courait une longue cicatrice en relief, plus pâle que le reste de sa peau et lisse hormis quelques dentelures légèrement gonflées perpendiculaires à elle. Il se redressa et d'instinct y porta la main droite, l'extrémité de ses doigts frôlant la peau sans tout à fait la toucher.

Ganga cessa de jouer avec la pierre.

Quand t'es-tu fait ça ? demanda-t-il.

Elle ne répondit pas tout de suite, comme si elle ne pouvait l'expliquer immédiatement.

C'est arrivé il y a un bout de temps. J'ai sauté dans un bunker sans faire attention.

Ça te fait toujours mal ?

Tu ne vois pas que c'est cicatrisé ?

Moi aussi j'ai une blessure comme ça, mais parfois elle me fait encore mal.

Il étendit sa jambe gauche et souleva son sarong pour montrer une lacération qui partait de l'arrière du genou et s'arrêtait juste au-dessus du talon. Contrairement à celle de Ganga, elle ne formait pas de bourrelet mais était enfoncée et d'une consistance brillante, presque semblable à du polythène.

Éclat de shrapnel.

Ganga observa la cicatrice, puis la sienne, avant de reporter son attention sur la pierre qu'elle roulait dans sa main. Il était difficile à Dinesh de savoir si elle était en mesure de comprendre le moindre de ses mots, ou même d'ailleurs si elle comprenait elle-même ce qu'elle disait. Elle avait ce tic de plisser légèrement les yeux et de marquer une pause avant de dire quoi que ce soit, le regard perdu, interrogateur, et quand elle finissait enfin par parler, ses mots semblaient détachés, comme s'ils venaient d'une source extérieure à elle, de muscles qui se contractaient mécaniquement dans sa langue, sa bouche et sa gorge. Sourcils froncés, elle écoutait les phrases qu'elle prononçait aussi attentivement que lui, comme si elle n'avait quelque part elle-même aucune idée du sens de ses propos. Peut-être était-ce aussi son cas quand il parlait, difficile à dire. Il laissa retomber son sarong et croisa les jambes. Puis il recula contre le rocher, s'adossa contre la surface de mousse sèche comme pour se reposer et, jetant encore un œil à Ganga, ressentit à nouveau le besoin de parler. S'il attendait trop, il serait difficile de reprendre la parole, craignait-il, chacun retomberait dans son propre monde et la conversation s'achèverait définitivement.

Où en es-tu dans tes études ?

Ganga ouvrit les lèvres comme pour s'apprêter à répondre, puis les referma. Elle laissa la pierre reposer inerte dans sa main avant de la déposer, presque à contrecœur, sur le sol entre eux. À voir son visage, on n'aurait su dire si elle n'avait pas bien entendu la question, si elle l'avait entendue sans la comprendre, ou si elle l'avait comprise mais ne savait tout simplement pas quoi répondre. Elle contempla le sol un moment avant que ses lèvres remuent enfin et que quelques mots à peine audibles s'en échappent.

J'ai terminé les épreuves du O-level[1] l'an dernier.

Tu as commencé à étudier pour passer le A-level[2] ?

1. Équivalent du brevet des collèges. *(N.d.T.)*
2. Équivalent du baccalauréat. *(N.d.T.)*

Elle hocha lentement la tête.

Mais le lycée a fermé quelques semaines après la rentrée.

À Malayaalapuram, c'est ça ?

Elle hocha la tête.

Dans quel lycée allais-tu ?

Au lycée de filles hindou de Malayaalapuram.

Dinesh réfléchit un moment à cette réponse, puis se creusa la tête en quête d'une autre question.

Quelle filière avais-tu choisie ?

Comptabilité.

Tu étais bonne en maths ?

Ganga réfléchit un moment puis, agacée, fronça les sourcils.

Comment veux-tu que je le sache ?

Dinesh ramassa la pierre que Ganga avait reposée et l'examina dans sa main. Il la prit entre le pouce et l'index, serra fort et sentit ses arêtes rugueuses et irrégulières contre la pulpe de ses doigts. Il était presque étonné qu'elle n'ait pas fondu ni ne se soit émiettée sous la pression qu'il avait exercée.

Moi j'ai fait sciences, murmura-t-il.

Ganga ne réagit pas.

Je suis arrivé deuxième de ma promotion de A-level. Dans la région, le seul garçon devant moi a obtenu une place à l'université. Je l'ai ratée à quelques points près.

Il attendit qu'elle dise quelque chose mais elle ne leva pas la tête.

Ma matière préférée, c'était la biologie.

De nouveau aucune réaction. Il reposa le galet à sa place sur la bordure du lit. Il se sentait un peu bête, comme s'il venait de trahir une espèce d'ignorance ou de stupidité. Pourquoi parmi tous les sujets de conversation avait-il choisi de poser des questions sur ses études, il n'en savait rien. Voilà une éternité qu'il n'avait pas pensé à l'école et tout à coup ces mots étaient sortis de sa bouche : A-level, université, maths, biologie. Ils lui avaient presque échappé, et dès qu'il les avait entendus il avait ressenti la distance gigantesque qu'il y avait entre eux et lui, comme sur une photo d'enfance où l'on reconnaît son visage sans plus rien savoir de l'humeur et des pensées qui avaient dû l'animer. Les cours et les examens avaient fait partie de sa vie, bien sûr, de sa façon de vivre, mais quelle raison y avait-il de parler de son passé maintenant, ou de demander à Ganga de lui raconter le sien ? Ils l'avaient laissé derrière eux depuis si longtemps, quel était l'intérêt d'en parler, quelle en était la pertinence par rapport aux personnes qu'ils étaient aujourd'hui ? Cela lui fit penser à tous les bâtiments abandonnés et détruits où il allait souvent jouer petit, bien des années auparavant, peu après la première libération de son village et de la région environnante par le mouvement, quand il escaladait discrètement les barrières à moitié écroulées en feuilles de cocotier, traversait les jardins en friche, et se baladait dans les entrailles de toutes les bâtisses cassées. Les murs qui s'effritaient étaient criblés d'impacts, et là où les balles n'avaient pas traversé, on voyait la brique orange, pareille à une plaie sanguinolente. Sans bruit, il se frayait un passage à travers toute la poussière et les débris, tâtant avec précaution les tuiles en terre cuite brisées tombées des toits affaissés, les planches pourries tombées des portes et des plafonds, les vasques en céramique pulvérisées, le fer voilé et rouillé des fondations et des renforts. Il y avait des dizaines de bâtiments endommagés à explorer à proximité de chez lui, mais quelle que fût leur divergence de caractère ou d'utilité, s'ils avaient jadis été des maisons, des magasins, des écoles ou des tombeaux, les gravats de toutes ces bâtisses anéanties par les combats se ressemblaient tous. Évidemment, il arrivait de trouver, parmi les fragments de plâtre, de béton, de bois et de briques, des objets qui vous renseignaient sur la nature de ces ruines, les personnes qu'elles avaient abritées et le but qu'elles avaient servi. Les restes d'un bureau devant lequel un enfant s'était jadis assis pour étudier, la carapace rouillée d'une casserole ou d'une bouilloire dans la cuisine d'une famille disparue, ou encore la cloche en cuivre ternie et la sculpture brisée en plâtre d'un temple en bord de route. Mais à l'exception de ces menus vestiges inutiles du passé, la guerre les avait toutes réduites au même état, alors à quoi bon les passer au peigne fin ? Quel pouvait bien être l'intérêt, si ce n'est l'assouvissement d'une curiosité enfantine, d'essayer de découvrir l'identité de ces structures détruites ? Quel pouvait bien être l'intérêt, quand le mieux à faire aurait été de déblayer tous ces décombres, de raser ce qui restait, et de reconstruire à la place ce qui serait nécessaire à l'avenir ?

Mais s'ils ne pouvaient pas parler de leur passé, que pourraient-ils bien trouver à se dire, étant donné que pour eux il n'y avait pas non plus d'avenir à discuter ?

Les feuilles bruissaient doucement autour d'eux, Dinesh regarda de nouveau Ganga. Comme elle baissait toujours les yeux, il était impossible de savoir si elle était encore contrariée. Il murmura.

Tu es contente qu'on soit mariés ?

Elle le regarda et marmonna une phrase qu'il ne parvint pas à saisir.

Si tu veux, poursuivit-il, on pourra avoir un vrai mariage plus tard.

Ganga garda le silence un moment, puis soudain se leva.

Tu as faim ?

Dinesh la dévisagea, légèrement surpris. Il n'avait presque rien mangé durant les quelques jours qui venaient de s'écouler, mais s'étant habitué à la faim, il n'avait même pas songé à trouver de la nourriture. Il se leva et tripota son sarong, qui s'était desserré à cause de la position assise.

Il faut que je fasse cuire du riz pour mon père, poursuivit Ganga. Je vais en faire pour toi aussi.

Dinesh eut un sourire gêné, embarrassé par cette proposition.

Ce n'est pas nécessaire.

Ça ne changera rien.

Il réfléchit un moment, puis acquiesça d'un signe de tête. Il s'empara du sac beige et se dirigea vers la lisière de la clairière. Il se retourna pour s'assurer que Ganga le suivait, attendit qu'elle soit derrière lui, puis pénétra les ténèbres de la canopée frémissante. Pourquoi au juste lui avait-elle proposé de lui faire à manger, il n'en était pas sûr. Le plus vraisemblable était qu'elle devait cuisiner pour son père, comme elle l'avait dit, mais il craignait que ce fût aussi parce qu'elle avait pitié de lui. Peut-être avait-elle conclu de son dénuement qu'il n'avait pas d'argent pour se nourrir, ou peut-être voyait-elle à sa maigreur qu'il n'avait pas mangé depuis longtemps. Il devrait peut-être refuser la nourriture qu'elle lui proposait, dire qu'il avait mangé un peu plus tôt dans la journée et qu'il n'avait pas vraiment faim, même si à la perspective de ce riz il n'était plus sûr d'en être capable. Son dernier véritable repas remontait à deux jours : quelques poignées de riz gluant données par une vieille femme qu'il avait aidée à creuser un bunker un mois ou deux auparavant. Elle l'avait reconnu alors qu'il traversait le camp et l'avait interpellé bruyamment, presque gaiement. Il lui avait fallu un moment pour se rappeler qui elle était, car depuis leur dernière rencontre elle avait retrouvé le reste de sa famille, et son visage était beaucoup plus rayonnant et rond que dans son souvenir, moins nerveusement contracté. Dinesh était beaucoup plus maigre que la dernière fois qu'elle l'avait vu, avait commenté la femme en le tirant par le coude pour qu'il s'asseye, il devrait manger avec eux, l'énergie serait bien plus utile dans son corps à lui que dans le sien. Elle avait pris du riz dans la casserole destinée non seulement à elle mais aussi à sa fille, à son gendre et à son petit-fils, et le lui avait servi sur une feuille de journal pliée. À cause de la pénurie de nourriture, un kilo de riz atteignait désormais déjà presque mille roupies et la plupart des évacués mangeaient moins d'un repas par jour. Gêné par la générosité de cette femme et aussi par le sentiment que son gendre et sa fille auraient préféré ne pas partager leur réserve limitée avec un inconnu, il avait englouti sa portion, faisant descendre les grains dans sa gorge sans se laisser la chance de les goûter ni de les sentir dans sa bouche, puis avait remercié et était parti. Le reste de la semaine il avait grignoté des biscuits de rationnement tirés de quelques paquets achetés sur ses maigres économies. Il en mangeait deux le matin, quatre en fin d'après-midi et encore quatre la nuit, en cassant chaque biscuit en deux ou trois petits morceaux qu'il trempait ensuite dans un peu d'eau afin de les ramollir et d'en exhausser le goût. Avant de déglutir, il prenait le temps de mastiquer chaque morceau pour le réduire dans sa bouche à une crème onctueuse, cependant comme il n'avalait que de petites quantités il ne réussissait pas à en apprécier complètement le goût.

Ils débouchèrent de la jungle dans les dernières lueurs de la soirée et poursuivirent en direction du sud-ouest à travers le camp. Il y avait beaucoup moins d'agitation à présent qu'un peu plus tôt dans la journée. Ceux qui pouvaient se le permettre cuisinaient ou mangeaient la nourriture qu'ils avaient achetée au petit vendeur ambulant, les autres étaient assis en silence ou essayaient de dormir durant les quelques heures de liberté avant le début du bombardement nocturne. En observant les visages au passage, certains faiblement éclairés par de petits feux discrets, les autres enveloppés dans l'ombre bleu cobalt du ciel, Dinesh remarqua une fois encore que, dans le camp, presque personne ne parlait. Quelques hommes et femmes murmuraient dans leur barbe en se balançant lentement d'avant en arrière, riant doucement, pleurant ou jurant, mais de la vaste majorité ne s'échappait que du silence. Les gens communiquaient, bien sûr, ils faisaient du troc contre de la nourriture ou des médicaments, s'échangeaient des informations sur les combats et des nouvelles des personnes disparues, mais ce n'était là que des détails pratiques, et une fois ceux-ci communiqués, tout le monde cessait plus ou moins de parler. Dans ces moments-là, quand il n'y avait rien d'urgent à faire, aucun proche à trouver ni de corps à récupérer, quand les effets du dernier bombardement s'étaient enfin résorbés et qu'il n'y avait rien d'autre à faire qu'attendre le prochain, la plupart des réfugiés se contentaient de s'asseoir et de tuer le temps en silence. Peut-être qu'ils n'avaient pas envie de parler. Peut-être que, trop fatigués ou trop préoccupés, ils ne voulaient tout simplement pas parler plus que nécessaire. En tout cas c'était différent de la vie ordinaire, où les gens semblent toujours converser pendant leur temps libre. Les proches viennent en visite pour échanger bavardages et ragots, les écoliers rient et se chamaillent dans les intercours et pendant la récréation. Les clients s'attardent dans les magasins et devant les étals pour discuter avec les marchands, les badauds s'arrêtent dans la rue pour saluer des connaissances. Dans la vie ordinaire, les individus continuent à parler bien au-delà de tout besoin ou but ostensibles, c'est indubitable, en revanche de quels sujets précis débattent-ils aussi longuement, Dinesh n'en avait pas la moindre idée. C'était comme si dans tous ses souvenirs de conversations les bouches remuaient sans qu'aucun son n'en sorte. Que pouvaient se dire les gens, il lui était impossible de le deviner, car après tout, que pouvait-il bien y avoir à discuter ? Quand tous les soucis pratiques du quotidien ont été traités, les projets établis, que reste-t-il à dire, en réalité ?

Évidemment, il est possible que les gens continuent à parler simplement parce qu'ils le doivent, pour le simple plaisir de parler. Peut-être que lorsqu'ils conversent, le sujet importe en fait beaucoup moins que l'acte de communiquer, et que quand ils n'ont rien d'urgent ni de pressant à dire, ils cherchent simplement d'autres sujets de discussions, juste pour pouvoir continuer à parler. Difficile d'en avoir la certitude, mais peut-être que la véritable raison pour laquelle les gens dans la vie ordinaire ont des sujets de conversation récurrents, des centres d'intérêt sur lesquels ils aiment se renseigner, est simplement que ça leur permet de recueillir assez de matière pour pouvoir continuer à parler. Car même si l'acte de parler importe plus que ce dont on parle, après tout on ne peut dialoguer sans un sujet de conversation. Et c'est peut-être ce qui expliquait pourquoi tout le monde dans le camp gardait le silence, parce que personne n'avait plus rien à se dire. La conversation est une chose fragile après tout, pareille à une plante qui ne pousse que dans un sol riche, chaud et nourrissant. Tout comme les cellules du corps humain ne peuvent survivre au-dessus et en dessous de certaines températures, tout comme les yeux de l'homme ne peuvent voir au-dessus et en dessous de certaines longueurs d'onde de rayonnement, et les oreilles entendre au-dessus et en dessous de certains seuils de fréquence, peut-être n'existe-t-il aussi qu'un spectre étroit de conditions qui permette à la conversation de s'épanouir. Non pas que les gens du camp n'eussent pas envie de parler, car les êtres humains parlent toujours quand ils en ont l'opportunité. La conversation est pareille au dévidement d'une bobine de fibre invisible qu'on jette tel un flot de son, qui pénètre le corps des autres par les oreilles, passe de ces êtres humains à d'autres, et ainsi de suite. Pensées, sentiments, conjectures, anecdotes, plaisanteries et calomnies ne sont rien d'autre que des fils étroitement tissés qui lient les entrailles des gens longtemps après que la conversation s'est terminée, si bien que les sociétés ne sont rien de plus que des associations d'êtres humains ainsi regroupés par de vastes toiles complexes et imperceptibles, dont la fonction n'est pas de restreindre le mouvement mais de relier chaque individu à tous les autres. Ayant besoin de ce lien, les hommes trouvent toujours le moyen de parler, s'ils le peuvent. Ce n'était donc pas par manque d'envie que ceux du camp avaient cessé de converser, mais plutôt parce qu'il n'y avait plus rien à dire. Les fils diaphanes qui dans la vie ordinaire avaient été si simples à tisser s'étaient dissous, il n'y avait plus rien à dévider, si bien que tout un chacun devait rester assis seul en silence, perdu en lui-même, incapable, de quelque manière que ce soit, de faire du lien.

Ganga fit signe à Dinesh d'attendre à l'extérieur de la tente, où elle entra seule avec le sac. Elle ressortit quelques minutes plus tard, tenant d'une main un fagot de petites branches sèches et de bâtons et de l'autre une casserole en métal ébréchée au cul noirci par le feu. Elle ne portait plus son sari mais la robe large en coton dans laquelle Dinesh l'avait vue à la clinique les autres jours, un vêtement rose délavé couvert de taches marronnasses à la taille et aux genoux. Elle déposa le bois dans un petit trou grisé de cendre creusé juste à côté de la tente, puis posa la casserole par terre à proximité. Elle retourna ensuite dans la tente, d'où elle rapporta une bouteille et deux sacs en plastique bien remplis, l'un environ quatre fois plus gros que l'autre. Du plus grand elle versa dans la casserole une grosse quantité de riz et du plus petit, précautionneusement, une poignée de dhal, puis, la bouteille à la main, se dirigea vers la pompe à bras toute proche. Dans la journée, les queues y étaient très longues, mais en général tard le soir elles s'étaient dispersées car la plupart des gens remplissaient toutes leurs bouteilles tôt afin d'éviter d'avoir à quitter leurs tentes et leurs bunkers la nuit. Au bout de quelques minutes, Ganga revint avec sa bouteille pleine et versa l'eau dans la casserole en en mesurant la quantité à l'aide de trois doigts pour s'assurer qu'elle était au bon niveau au-dessus du riz. Elle sortit de la tente quelques feuilles d'un vieux journal et une boîte d'allumettes, puis, accroupie à côté du trou, déchira le papier en bandes et en carrés qu'elle froissa et bourra dans les interstices entre les branchages. Elle frotta une allumette, porta patiemment la flamme sur chaque boulette de journal, qu'elle réussit à enflammer toutes avant que l'allumette ne se soit entièrement consumée. Le papier se rétractait sous la flamme et très vite le bois commença à crépiter. Les plus petits branchages envoyaient de minuscules étincelles et quelques-uns commencèrent à calciner. Ganga recula en se trémoussant et regarda le feu prendre de l'ampleur, immobile, ses sourcils froncés se touchant presque à la base du front, lissant d'une main ses cheveux, serrant de l'autre un genou. Il n'y avait aucun signe de Mr Somasundaram, se rendit compte Dinesh, pourtant il s'était écoulé au moins deux heures depuis la dernière fois qu'ils l'avaient vu. L'enterrement de l'Iyer n'avait pas dû autant durer, si toutefois Mr Somasundaram était véritablement allé à la clinique superviser les opérations. Dinesh regarda Ganga et hésita, ne sachant trop si le sujet devait être abordé ou non. Penché en avant, il finit par murmurer.

Sais-tu où se trouve ton père ? Devrions-nous partir à sa recherche ?

Ganga leva la tête vers lui.

Ce n'est pas nécessaire, répliqua-t-elle aussitôt. Nous ferions mieux de rester là. Il doit encore être en train d'enterrer l'Iyer, ça serait difficile de le trouver.

Tu vas quand même lui faire à manger ?

Elle hocha la tête.

Il mangera à son retour.

Mais ne devrions-nous pas retourner à la clairière après le repas ?

Elle secoua la tête en signe de refus.

Il faut qu'on surveille la tente et toutes les affaires jusqu'à son retour. En plus, mon père va s'inquiéter s'il ne nous trouve pas en rentrant.

Elle se leva, et ramassant les deux plus gros morceaux de bois qu'elle avait jusqu'alors mis de côté, les déposa parallèlement au-dessus de l'ouverture du trou. Elle souleva ensuite la casserole, qu'elle posa en équilibre sur les deux bouts de bois de façon que le feu qui prenait en dessous lèche directement le fond.

À ton avis il va durer combien de temps, l'enterrement ? Il s'est déjà passé presque deux heures.

Dinesh attendit, Ganga se contenta de continuer à contempler le feu. Les plus petits bâtons se consumaient à présent, rougeoyant brièvement avant de noircir tandis que l'extrémité des plus gros commençait à s'embraser. Les braises, soufflées hors du trou, allaient mourir un peu plus loin, pareilles à des lucioles.

C'est juste que je crains que les recruteurs nous remarquent si on reste trop longtemps dans le camp. C'est pour ça que je dors dans la jungle : si je restais ici, tôt ou tard une mère jalouse leur parlerait de moi, ou ils me trouveraient d'eux-mêmes et m'emmèneraient.

Ganga le dévisagea un moment, comme s'il lui présentait une considération complètement inédite, puis elle reporta son attention sur les flammes. Le bruit de l'eau à l'intérieur de la casserole se fit entendre derrière le crachotement intermittent du feu, frémissement d'abord, puis bouillonnement plus substantiel. Ils l'écoutèrent un moment se faire plus grave et plus insistant, rappel d'une chose désormais lointaine qui ne laissait pas de procurer un sentiment nourricier et rassurant. Ganga se leva pour vérifier que l'eau bouillait, couvrit la casserole avec son couvercle, puis se raccroupit et continua à regarder le feu. Elle avait une expression quelque peu gênée, voire troublée. On aurait dit que la raideur ou la tension qui imprégnaient ses traits et l'avaient empêchée jusque-là d'exprimer le moindre sentiment s'étaient relâchées, la laissant, l'espace d'un instant, nue. Prenant conscience que Dinesh l'observait, elle baissa la tête de façon à cacher son visage.

Ce n'est pas un gros problème, poursuivit-il. On peut rester là jusqu'au retour de ton père. Je peux rester caché un moment dans la tente.

Non, protesta-t-elle sans lever les yeux. Tu as raison, il

vaut mieux que nous retournions à la clairière. Je vais laisser le repas de mon père dans la tente pour qu'il puisse manger plus tard. Je pourrai lui parler demain matin.

Ils restèrent assis en silence dix ou quinze minutes à écouter le gargouillis de la casserole, puis enfin, sans mot dire, Ganga se leva. Saisissant avec précaution le rebord du récipient, elle le retira vivement du feu, et, se servant du couvercle pour contrôler le flux, vida au sol le petit excès d'eau mousseuse. Elle reposa ensuite la casserole sur le feu, entra dans la tente, d'où elle ressortit avec trois assiettes, une louche et un sac en plastique. Elle saupoudra dans la casserole une poudre blanche prise dans le sac, du sel probablement, puis à l'aide de la louche se mit à le mélanger dans le riz et le dhal avec une étrange vigueur. Dinesh se sentait quelque peu mal à l'aise, mais il ne savait pas quoi dire. Il lui avait été difficile de se taire quand il avait enfin trouvé un sujet qui semblait naturel et normal, mais avec du recul, il songeait qu'il aurait de toute évidence mieux fait de ne pas mettre du tout le père de Ganga sur le tapis. Que Ganga se rendît compte ou non qu'il ne reviendrait probablement pas, il n'en savait rien, mais quoi qu'il en soit elle le constaterait en temps voulu, il n'était nul besoin de la forcer inutilement à ouvrir les yeux. Il y avait très longtemps, quand il était petit, se souvint-il, allongé dans un champ quelque part, les yeux levés au ciel, il avait roulé sur le ventre et découvert qu'à sa place, poussaient de petits parterres de mimosa pudique cachés dans l'herbe. Les rares folioles vertes délicates que son corps n'avait pas écrasées étaient encore ouvertes, chacune d'une largeur d'un millimètre à peine, mais la plupart s'étaient repliées fermement autour de leur tige afin de se protéger de son poids, ne laissant à découvert que leur dessous brun et rugueux. Il s'était agenouillé et, penché au-dessus d'elles de façon à ne pas obstruer la lumière caressante du soleil, avait essayé de voir s'il parviendrait à les convaincre de se rouvrir. Le mimosa pudique, savait-il, réagissait à tout sauf au plus doux des contacts en se recroquevillant, comme extrêmement froissé, mais combien de temps fallait-il à ses petites feuilles pour se rouvrir, il n'en avait aucune idée. Il aurait pu les ouvrir de force s'il avait voulu, mais démonter, même pour le bien de cette petite plante, le seul moyen qu'elle avait d'assurer sa sécurité, n'aurait fait qu'accroître son sentiment de violation. La seule chose à faire était de se montrer patient, d'attendre que les feuilles de la sensitive se déploient à nouveau d'elles-mêmes. Combien de temps cela prendrait-il, il n'en savait rien, plusieurs minutes, plusieurs heures, ou plusieurs jours, mais quand elles se décideraient à se découvrir à l'air libre il se montrerait plus prudent, s'était-il promis, il veillerait à être avec elles aussi doux et délicat que la vapeur d'un souffle.

Quand le riz et le dhal furent prêts, Ganga retira la casserole du feu et déposa sur une assiette destinée à son père une petite quantité de la mixture, loin de suffire pour un repas s'il devait véritablement revenir manger. Elle emporta l'assiette dans la tente, juste derrière les rabats de l'entrée, à l'instar d'un prêtre qui laisse une offrande de nourriture aux pieds d'une divinité, puis, les ayant soigneusement refermés, elle tendit la bouteille d'eau à Dinesh afin qu'il puisse se laver les mains. Il se versa l'eau sur chaque main séparément et se frotta les doigts pendant qu'elle lui servait une assiette, puis s'assit en tailleur devant sa nourriture. D'un regard, il lui demanda de se joindre à lui, mais elle secoua la tête et resta debout en expliquant d'un geste qu'elle mangerait une fois qu'il aurait commencé. Il contempla la nourriture fumante. Cela faisait longtemps qu'il n'avait pas utilisé d'assiette, et l'idée de manger sous les yeux de Ganga le rendait quelque peu nerveux. Il examina sa main droite propre, comme s'il remarquait ses cinq doigts pour la première fois, puis, après les avoir serrés, les enfonça dans le mélange encore brûlant de riz et de dhal qu'il se mit à remuer afin d'en dissiper la chaleur. C'était étrange après si longtemps de sentir ses doigts dans le riz, dont les grains humides et mous entre ses phalanges remontaient jusqu'à sa paume. C'était étrange de se dire que sa main droite servait aussi à manger, qu'avec ses mains il s'apprêtait à mettre quelque chose dans sa bouche. Une fois le riz et le dhal bien mélangés, il en réunit délicatement une bouchée entre ses doigts, hésita un instant, puis la porta à ses lèvres. Il ouvrit la bouche et l'enfourna. La mixture était chaude dans sa bouche, et, tandis qu'il la faisait tourner avec sa langue, il savourait la forme et le goût de ces grains mous, sa langue séparant le riz en plusieurs sections avant de le rassembler en une seule et unique masse. Ses mâchoires remuaient d'elles-mêmes et ses molaires écrasaient le riz, transformant les grains distincts en une pâte molle et tiède qui se déplaça lentement à l'arrière de sa bouche avant d'être ensuite déglutie, ce dont il ne prit conscience que grâce à la sensation d'une substance tiède qui glissait en bas de sa gorge, le long de sa pomme d'Adam proéminente avant de tomber dans son œsophage. Il resta immobile un moment, comme étonné, puis regroupa les quelques grains de riz qui s'étaient déposés dans les replis de ses joues et les déglutit à leur tour. Laissant sa langue se promener sur les surfaces sensibles de ses dents et de ses gencives, qu'il sentait à présent comme pour la première fois, il contempla ses doigts parsemés de grains de riz et les reposa dans l'assiette. Il prit une autre poignée de nourriture, la porta à sa bouche, mastiqua, laissa les grains se mélanger, et déglutit une fois de plus. Son estomac se mit à le brûler après quelques bouchées, probablement parce qu'il s'était écoulé énormément de temps depuis la dernière fois qu'il avait avalé autant de nourriture d'un coup, cependant il continua à en porter des poignées à sa bouche, mastiquant, mélangeant, déglutissant lentement et soigneusement, sachant que s'il persévérait, la douleur finirait vite par s'estomper. Il commençait à se rappeler le rythme de la sustentation, à retrouver la durée adéquate pour chaque partie de la séquence, à mâcher ce qu'il avait dans la bouche juste le temps de réunir une nouvelle poignée de riz, et à déglutir le temps de porter cette main de nouveau pleine à ses lèvres. Le riz et le dhal diminuaient progressivement, mais avant qu'il n'en reste plus, Ganga lui retira son assiette, la remplit d'une nouvelle portion prise dans la casserole, et la reposa au sol devant lui. Elle servit ensuite un peu du mélange sur une autre assiette, s'assit à près d'un mètre de lui et, courbés au-dessus de leur nourriture, tous deux mangeaient ensemble à présent, lentement, patiemment, chacun complètement immergé dans le rythme de la sustentation.

Le ciel s'était entièrement obscurci, il n'y avait plus

trace du jour. Bientôt, dans une ou plusieurs heures, impossible à dire, le bombardement nocturne allait commencer. Ils nettoyèrent les dernières miettes de leur assiette, si bien qu'on ne voyait plus que l'acier inoxydable humide, et pendant un long moment après la fin du repas, aucun d'eux ne bougea. Non loin de là, s'élevant dans la nuit en provenance de l'ouest, leur parvenait un terrible gémissement continu. On aurait d'abord cru un blessé qui, venant de reprendre connaissance, devait à nouveau se confronter consciemment à sa douleur, mais, en écoutant mieux, il semblait que cette voix chagrine retentissante appartînt non pas à un blessé, mais à une personne en bonne santé qui venait de perdre un proche. Et en entendant cette plainte ils entendirent aussi, comme lorsque, après avoir remarqué une seule et unique étoile qui brille dans un ciel qui nous avait semblé gris, on distingue la faible lueur d'étoiles plus petites jusqu'alors invisibles, ils entendirent aussi, s'élevant dans la nuit à différents endroits du camp, d'autres voix qui pleuraient, geignaient, gémissaient, combien au juste c'était impossible à dire. Elles s'élevaient et s'éteignaient pareilles à de lointaines sirènes d'ambulance, certaines se taisant au moment où leurs propriétaires s'évanouissaient de nouveau, d'autres rejoignant le chœur au moment où leurs propriétaires reprenaient connaissance. Ganga se leva lentement, ramassa leurs assiettes vides ainsi que la casserole et se dirigea vers la pompe à bras. Dinesh se leva en léchant les derniers grains de riz collés sur ses doigts puis se relava les mains avec l'eau de la bouteille. Il était temps pour eux de passer leur première nuit ensemble.

4

À l'arrivée des combats, Dinesh et sa mère, comme tous les autres, avaient empaqueté leurs affaires pour les emporter avec eux en quittant leur maison. Depuis deux ou trois jours, les gens traversaient massivement la région en un flot presque continu, et quand l'ordre d'évacuation avait été lancé par le mouvement via le haut-parleur du village, on entendait déjà au loin les bruits assourdis des bombardements, explosant lourdement avant de se dilater sur un vaste périmètre. Ils avaient passé leur dernière soirée à chercher pour le trajet un tracteur à louer avec deux familles du voisinage, puis avaient veillé toute la nuit, s'affairant fiévreusement à plier bagages. Qu'avaient-ils au juste décidé d'emporter, Dinesh n'aurait plus su le dire, en revanche il se rappelait encore sa satisfaction en contemplant leur maison quasi vide après avoir enfin terminé, l'idée agréable que, quoi qu'il arrive, au moins leurs affaires seraient en sécurité avec eux quand ils s'enfonceraient plus avant dans le territoire. Il ne faisait pas encore jour, et, sans avoir eu guère le temps de réfléchir aux événements, ils s'étaient hissés à l'arrière du tracteur, où ils s'étaient perchés en équilibre précaire au milieu de tous les meubles et des biens empilés à la va-vite, les minces parois en fer de la remorque s'ébranlant tandis que le moteur démarrait avec force crachotements, et ils avaient regardé presque avec curiosité la colonne calme et paisible se perdre au loin, comme au départ de vacances impromptues mais pas nécessairement désagréables. Ils étaient trop exténués par leur nuit de travail et trop en manque de sommeil pour que la situation les angoisse, et de toute façon comme ils avaient déjà été forcés de quitter leur maison plusieurs fois par le passé, être déplacé n'avait rien d'inédit. Ils seraient probablement de retour dans tout juste deux ou trois semaines, un mois à tout casser. Le village risquait d'être le théâtre de quelques fusillades pendant leur absence, peut-être serait-il aussi frappé par quelques obus, mais le plus probable était qu'ils retrouveraient leur maison parfaitement intacte à leur retour.

Ce n'est que lorsqu'ils avaient atteint la route principale et qu'ils avaient rejoint, au bout d'un moment, le long train décousu d'évacués, dont certains voyageaient déjà depuis plusieurs jours, et d'autres comme eux venaient juste de quitter leur foyer, qu'il était devenu évident que cette évacuation-là était d'une autre ampleur que celles qu'ils avaient connues auparavant. Apparemment ce n'était pas juste leur village qui avait été évacué, mais l'ensemble du territoire dans les parties sud de leur région, et apparemment aussi des villages situés dans la zone sud-ouest du territoire aux mains du mouvement. Cela avait beau être un peu surprenant, personne ne s'était beaucoup attardé sur la question, car il ne servait probablement à rien de trop s'en faire, le mouvement avait sans doute simplement décidé de prendre cette fois-ci quelques précautions supplémentaires. Ils s'étaient déplacés avec la caravane vers le nord-est toute la journée, jusqu'à s'arrêter enfin à un campement rempli d'évacués. Combien de personnes y avait-il, ils n'étaient pas arrivés à le dénombrer, mais il était plus vaste que n'importe quel autre campement où ils avaient séjourné lors des précédentes évacuations. Ils y étaient restés environ trois semaines, jusqu'à ce que les bombardements se rapprochent à nouveau et que le mouvement leur enjoigne de faire leurs bagages et de se rendre dans un autre campement, un peu plus loin à l'intérieur du territoire. Ils étaient restés dans ce nouvel endroit à nouveau trois semaines, en étaient ensuite partis pour aller dans un autre, et de cet autre à d'autres encore, la durée de leurs séjours se réduisant de trois semaines à deux, puis à dix jours puis encore moins, jusqu'à ce que peu à peu ils commencent à passer plus de temps sur les routes que dans un endroit fixe. Leur rythme était ralenti par les milliers de nouveaux évacués qui rejoignaient la caravane à chaque ville et village qu'ils traversaient, et derrière eux les bombardements se faisaient un peu plus sonores à chaque délocalisation, mais ni cela ni aucune des configurations qui semblaient émerger ne faisait l'objet de discussions ni même de plaintes, car à l'évidence ils ne savaient pas tout ce que le mouvement savait de la situation, et il ne servait à rien d'en venir à des conclusions dérangeantes juste par manque d'informations. Se servant de leur toile de tente comme pare-soleil, Dinesh et sa mère se contentaient de rester assis dans la remorque dans un silence gêné tandis que le tracteur se traînait le long des routes cuivrées, d'abord vers le nord-est puis surtout vers l'est, à travers le désert et la brousse, sous l'infinité d'un ciel presque chauffé à blanc. Parfois la route se taillait un passage dans des portions de jungle, où les verts profonds et les bruns apaisaient les yeux, où les grandes branches feuillues des arbres de part et d'autre de la route s'emmêlaient au-dessus d'eux, créant des canopées qui ne laissaient passer qu'une lumière fraîche et pommelée, mais tôt ou tard ils finissaient toujours par sortir de ces abris pour déboucher sur de vastes étendues de terre chaude et sèche, où des heures durant rien ne marquait leur progression si ce n'est un checkpoint ici ou là, de moins en moins gardé, et des palmiers qui se dressaient encore au loin.

Les autres évacués aussi emportaient avec eux toutes leurs possessions, dans des camions, des tracteurs et des chars à bœufs remplis à ras bord. Meubles en formica et en bois, téléviseurs et machines à coudre, vélos et motos, plantes en pots, tapis, manches à balai, animaux domestiques, volaille, jouets d'enfant, tout ce qu'ils arrivaient à caser. Peu importait la vitesse à laquelle les bombardements se rapprochaient, la plupart des gens refusaient d'admettre l'éventualité d'une séparation d'avec ces biens, même lorsque le sifflement des obus qui tombaient dru derrière avait commencé à se faire entendre avant les explosions, même lorsque les bombes avaient commencé à tomber au hasard sur des pans entiers de la route bondée. Personne ne s'était attendu à voyager de si nombreux mois, c'est vrai, personne n'avait souvenir que le mouvement ait déjà perdu autant de territoire, mais ce ne serait assurément qu'une question de jours avant que l'armée soit repoussée, avant qu'on les autorise enfin à retourner chez eux avec toutes les affaires qu'ils avaient emportées. C'est pourquoi ils s'étaient accrochés scrupuleusement au moindre de leurs biens, utilisant du pétrole en guise de carburant quand le diesel était venu à manquer, contournant des cadavres et des véhicules carbonisés, persévérant jusqu'à ce qu'enfin le ciel s'obscurcît et que, lourdement, sans relâche, la pluie commençât à tomber. Tout ce qui était transporté sur des tracteurs et des charrettes découvertes avait été trempé, même les objets électroniques qu'ils avaient essayé de protéger sous des morceaux de bâche. Les routes d'argile étaient devenues meubles et boueuses, les nids-de-poule s'étaient creusés et remplis pour former des puits profonds d'eau brune qu'on ne parvenait pas à distinguer des simples flaques. Très vite, toutes les routes avaient été bloquées par des tracteurs et des camions qui avaient été détruits dans les bombardements ou s'étaient embourbés. Afin de pouvoir poursuivre leur chemin, les gens étaient obligés de renoncer à leurs véhicules et avec eux à toutes les affaires qu'ils avaient transportées jusque-là au prix d'efforts inqualifiables. Avec divers degrés d'incrédulité, ils faisaient cuire leurs poulets dont ils jetaient les cages, empilaient tout ce qu'ils pouvaient sur des motos ou des voitures à trois roues, et reprenaient leur marche le plus vite possible. Quand à cause de la pénurie de carburant celles-ci aussi avaient dû être abandonnées, ils n'avaient pris que ce qui rentrait dans des sacs qu'on pouvait porter en bandoulière ou à la main : argent et bijoux, actes notariés, pièces d'identité et photos, médicaments, nourriture et ustensiles de cuisine, personne ne sachant trop ce qui était le plus important et ce qu'ils regretteraient d'avoir laissé derrière eux. Faute de place, au lieu de se débarrasser de leurs beaux vêtements, certains se contentaient de les enfiler, si bien qu'en se déplaçant avec lassitude parmi la multitude infinie des déportés, en passant aveuglément devant tous les cadavres et les biens abandonnés au bord des routes boueuses, on voyait à l'occasion des femmes vêtues de saris aux couleurs riantes, verts, or et magenta, comme si elles revenaient d'un mariage ou d'une fête qui ne s'était pas déroulé comme prévu.

On voyait à présent ceux qui s'étaient accrochés à leurs derniers sacs et paquets jusqu'à leur arrivée au camp les serrer jour et nuit. Éveillés ou endormis, ils les gardaient à côté d'eux sans jamais les lâcher, même s'ils avaient besoin de chier ou de pisser. Il n'y avait pas grand-chose qui craignait le vol, évidemment, étant donné que rares étaient les objets à avoir la moindre valeur au vu des circonstances, mais ils s'y cramponnaient malgré tout, comme si, réduits à l'état de feuilles volantes, leurs affaires, quelle que fût leur utilité première, jouaient désormais le rôle de presse-papiers. Tout le monde, évidemment, au début de son voyage, avait été obligé de laisser des choses derrière soi. Certains, si leur départ avait été trop soudain ou s'ils n'avaient pas pu trouver ou se payer un moyen de transport, avaient été obligés de presque tout laisser. Il avait probablement dû être difficile de laisser ses biens chez soi, avec l'angoisse permanente du pillage, mais ceux-là avaient certainement dû prendre soin d'enterrer ou de cacher leurs objets les plus précieux dans les recoins de leur propriété, et avec le recul, au moins, il devait leur être agréable de songer à tous ces objets probablement encore bien en sécurité. Tant de mois et de kilomètres les séparaient de leurs maisons et de leurs villages qu'il devait être satisfaisant de se dire que même si tout ce qu'ils avaient emporté avait été perdu ou détruit, ils auraient toujours des biens quelque part dans le monde, des objets concrets qui identifieraient leur maison comme la leur, quelles que soient la durée de leur absence ou la personne qui les avait remplacés entre-temps, des objets qui resteraient immuables alors même que des obus tombaient sur leurs propriétaires, dont les sentiments et les souvenirs s'évanouiraient.

Où sa mère et lui s'étaient-ils trouvés exactement quand ils avaient dû abandonner leur tracteur, Dinesh avait désormais du mal à se le rappeler, mais ça s'était probablement passé à la fin du mois d'octobre ou en novembre, peu avant le début de la bataille pour la prise de la capitale du mouvement. Ils n'avaient plus d'argent depuis longtemps, mais ils étaient parvenus à s'accrocher à leur tracteur jusqu'à parvenir à la maison d'un lointain parent, où ils avaient espéré pouvoir laisser leurs affaires à l'intérieur plutôt que de les abandonner au bord de la route comme le faisaient les autres gens. Trouvant la maison condamnée par des planches et fermée à clef, probablement évacuée juste quelques jours auparavant, ils n'avaient alors eu d'autre choix que de tout décharger sur le bout de pelouse devant l'entrée. Ils avaient ensuite fourré dans deux sacs tout ce dont ils auraient le plus urgemment besoin, en sachant qu'il y avait de fortes chances qu'ils ne revoient jamais ce qu'ils laissaient derrière eux, puis avaient poursuivi leur voyage à pied, avançant, s'arrêtant pour se reposer et, quand les bombes les rattrapaient, avançant de nouveau. Ils avaient continué ainsi deux ou trois semaines, voire un mois, progressant avec lenteur car sa mère n'avait pas la force de marcher longtemps sans s'arrêter, et avec hésitation à cause de toutes les directions contradictoires qu'on leur indiquait, jusqu'à ce que finalement les deux derniers sacs aient eux aussi dû être abandonnés. C'était un matin tôt en bordure d'un village où ils s'étaient installés pour passer la nuit : non loin de là leur était parvenu un gros bruit sourd, puis venant de la même direction un cliquetis métallique sonore. S'en était suivi un silence au cours duquel, ne sachant pas à quoi s'attendre, ils n'avaient rien fait du tout, n'ayant encore jamais entendu cette succession particulière de sons, et puis près d'une minute plus tard avait suivi une série de plusieurs petites détonations puissantes. Elles avaient retenti simultanément dans des directions arbitraires, chaque explosion brève et précise, comme si un gigantesque sac de billes avait été vidé au-dessus d'un sol en béton. Comprenant aussitôt qu'il n'y aurait aucune accalmie leur permettant de réfléchir à la situation, ils avaient rassemblé leurs affaires et s'étaient dirigés vers la route principale. Ils venaient juste de rejoindre les autres familles qui sortaient cahin-caha de la zone quand derrière le vacarme des détonations et des cris il y avait eu au loin un nouveau bruit sourd, puis à nouveau un cliquetis. Ils avaient continué à avancer, puis en entendant une petite exclamation derrière lui, Dinesh s'était retourné : sa mère s'était écroulée au sol à moins d'un mètre de lui.

Ce qui était survenu immédiatement après, il ne s'en souvenait plus. Ce qu'il avait ressenti à cet instant et ce qu'il avait fait, s'il avait hurlé, pleuré, ou était simplement resté figé, c'était impossible à dire. Peut-être tout s'était-il passé trop vite pour qu'il y prête la moindre attention, ou peut-être cet instant avait-il été censuré après coup par sa mémoire afin de lui épargner d'avoir plus tard à y repenser. Peut-être qu'en des moments pareils les actes d'une personne sont déterminés uniquement par les mouvements inconscients de ses bras et de ses jambes, par des réactions qui n'ont jamais été réfléchies mais qui, à l'insu de l'individu, se sont préparées sans bruit, méticuleusement, dans les muscles et dans les nerfs, de sorte que le moment venu ils sont exécutés sans la moindre réflexion ni la moindre hésitation, et ne peuvent donc pas être remémorés par la suite. Après tout, à ce moment-là, Dinesh avait déjà vu des tas de cadavres et de blessés, éparpillés au bord des routes, gisant dans des cabanes et des maisons en ruine. Il avait toujours fait de son mieux pour ne pas s'affoler, regarder droit devant lui et continuer à avancer, mais sûrement à ce stade-là ses yeux et ses oreilles avaient-ils enregistré suffisamment de choses pour savoir qu'en général, dans des moments pareils, quand les bombes tombent de partout et que s'immobiliser ou ralentir ne peut signifier que la mort, la situation ne permet pas de s'arrêter pour pleurer un être cher ou s'occuper convenablement des personnes décédées. Certainement à ce stade-là son corps au moins était-il devenu conscient qu'en de pareils moments il fallait simplement laisser les morts derrière soi, parfois même les blessés, en abandonnant tout scrupule, si toutefois en des moments pareils on était capable de ressentir quoi que ce soit.

Tout ce dont Dinesh se souvenait avec une certaine clarté, c'était qu'un peu plus tard, peut-être quelques minutes, peut-être une demi-heure, tandis qu'il courait avec leurs deux sacs dans la même direction que tout le monde au milieu des détonations, il lui avait brusquement traversé l'esprit qu'il y avait quelque chose de déplacé à emporter ces sacs avec lui alors que sa mère gisait par terre sans protection. Ses jambes avaient faibli et, alors qu'il continuait à courir, il avait commencé à se sentir étrangement vaporeux et vulnérable, surtout au niveau de la poitrine, comme si son cœur chaud et vivant avait été retiré du cocon de sa cage thoracique et palpitait là-bas, au sol, précaire, sur la terre poussiéreuse, venteuse, violente. Sa course s'était muée en marche, puis il avait ralenti jusqu'à l'arrêt complet. Il était resté un moment au milieu du chaos de la route, ne sachant trop quoi faire, puis avait fait volte-face et s'était mis à rebrousser chemin en courant, bousculant au passage tous les gens qui continuaient à courir en sens inverse. Le corps gisait là où il s'y était vaguement attendu, vaste silhouette noire et informe au sol. Il savait que c'était sa mère sans avoir besoin de regarder et, veillant bien à détourner les yeux, il avait sorti un sari de l'un des sacs et en avait rapidement drapé le corps, de façon que toute la peau fût couverte, que le moindre doigt, orteil ou cheveu fût dissimulé. Il avait posé délicatement les deux sacs de part et d'autre du corps immobile et glissé les bords du sari fermement dessous, afin que le vent ne l'emportât pas. Sortant des sacs uniquement ce qui leur restait d'argent, il s'était levé et, sans se retourner, s'était remis à courir dans la même direction que les autres. Sa poitrine lui semblait toujours étrangement vide mais il était quelque peu rassuré à l'idée que les sacs à côté de sa mère la protégeraient et lui fourniraient aussi une identité. Ils seraient probablement vite chapardés, il le savait, mais l'idée que pendant un moment au moins elle ne serait pas seule était réconfortante.

Depuis lors, les seuls biens que Dinesh avait transportés avaient été de menus objets dénichés ici et là et qu'il avait pris en pitié. Un stylo bille bleu qui n'écrivait plus, une tasse en acier inoxydable ou une vieille brosse à dents jaune aux poils abîmés, tout ce qui avait été perdu ou abandonné par d'autres évacués et qui lui donnait l'impression d'avoir besoin de compagnie. Il les ramassait et s'y accrochait un moment, en effleurait délicatement la surface comme le ferait un aveugle avec un objet inconnu qu'on lui mettrait brusquement entre les mains, et finissait en général par les laisser derrière lui, parfois accidentellement, parfois intentionnellement, au plus tard deux ou trois jours après. L'objet qu'il avait conservé le plus longtemps, il l'avait trouvé alors qu'il marchait sur un sentier désert entre deux hameaux. Il y avait quelque chose d'à moitié enfoui dans la terre rouge devant lui et dont la surface visible était couverte de poussière d'argile à l'exception d'un petit fragment qui renvoyait une lueur sourde. Il s'était arrêté, s'était accroupi et avait essuyé un peu la poussière. La couche de terre étant dure, il avait mouillé son pouce d'un peu de salive et frotté avec plus de vigueur, de façon que la terre ramollisse et que le métal jaune brille à travers. Les mains écartées, il avait contemplé la chose un moment, en traçant autour un cercle respectueux, comme en quête d'un indice, mais incapable de deviner de quoi il s'agissait, il avait fini par céder à la tentation de la tirer du sol. Elle était sortie après qu'il l'eut fait un peu jouer dans la terre, un morceau de cuivre massif et sculpté de la taille d'un poing d'enfant, pesant un demi-kilo, ou peut-être un peu plus. On aurait dit une poignée de porte, même si c'était rond comme les boutons de tiroir en bois, et non pas allongé comme l'étaient en général les poignées de porte en plastique ou en métal. Il l'avait contemplée en silence un moment, puis s'était levé en la gardant à la main et avait continué à marcher, mouillant de temps à autre l'extrémité de ses doigts d'un crachat afin de la polir, se délectant de son poids tandis qu'il la faisait sauter d'une main à l'autre. Pendant plus de deux semaines il l'avait emportée partout, la laissant tomber dans sa poche de chemise quand il avait besoin de ses deux mains, puis lors d'un moment de calme, parfois plusieurs heures après, il se rappelait son existence avec étonnement, comme il aurait oublié qu'un ami l'attendait chez lui. Assis ou couché, il appuyait l'objet lourd et frais sur la peau brûlante de son visage, le maintenait délicatement contre ses yeux fatigués et écoutait les vaisseaux sanguins de ses paupières palpiter contre le cuivre. Il le serrait parfois dans ses mains, comme pour enfoncer la surface impénétrable, et était à chaque fois stupéfait par sa solidité, la force et la permanence incroyables qu'il semblait avoir. Il s'était de plus en plus attaché à cette poignée de porte mais, la peur de la perdre ou d'être obligé d'abandonner ce compagnon montant insidieusement en lui, il s'était résigné à prendre les devants et à lui dire adieu une bonne fois pour toutes. Un après-midi, il l'avait soigneusement enveloppée dans un sac en plastique, avait creusé un trou au pied d'un arbre où la terre était particulièrement meuble, et l'avait enfoncée dans le sol de façon à l'installer confortablement. Il avait ensuite recouvert le trou et, quelque peu abattu, avait poursuivi sa route.

C'était étrange de penser à cette poignée de porte, à présent, enfouie quelque part bien en sécurité sous terre pendant que lui était au-dessus à un tout autre endroit. La route qu'il avait parcourue au cours des derniers mois était jonchée non seulement de cette poignée, mais de tous les objets qu'il avait trouvés, dont il s'était brièvement occupé et qu'il avait ensuite abandonnés. Il avait laissé dans son sillage une piste qu'il aurait pu remonter jusqu'à sa mère s'il avait voulu, même si du chemin qu'il avait emprunté il ne se souvenait consciemment que de très peu de choses. C'était comme si une trace de tous ses mouvements avait été dessinée sur la terre, un rappel de tous les endroits où il avait été et peut-être même de ce qu'il avait fait, qui allait non seulement de sa position actuelle à sa mère, mais aussi, en dernier lieu, à son village, où ce voyage avait commencé. Peut-être cette trace resterait-elle après sa mort, balisant à jamais le chemin qu'il avait emprunté, ou peut-être, et à la réflexion c'était en fait le plus probable, disparaîtrait-elle bientôt. Peut-être que tous les objets qu'il avait trouvés avaient été abandonnés par d'autres qui les avaient trouvés à divers endroits avant lui, des gens qui comme lui s'en étaient occupés un moment avant de les délaisser, et peut-être, si tel était le cas, seraient-ils ramassés à nouveau par ceux qui voyageaient derrière lui, pour finir par être déposés quelque part loin de l'endroit où il les avait laissés, à l'instar d'un coquillage repoussé de plus en plus loin sur la côte par l'action de vagues successives. Impossible d'en être certain, évidemment, mais peut-être les objets dont il s'était occupé avaient-ils déjà été éparpillés, si bien qu'aucune ligne cohérente ne pouvait déjà plus être tracée entre sa mère, sa maison et lui. Peut-être sa piste avait-elle été si intimement mêlée à celle de ses prédécesseurs et de ses successeurs qu'il était déjà impossible de distinguer la sienne de la leur, et donc, en un sens, lui d'eux.

Un murmure se fit entendre à côté de lui, Dinesh se redressa brusquement. Ganga remua légèrement sur le lit et se tourna, de sorte qu'au lieu d'être face au rocher elle était allongée sur le dos, un bras plié sur la poitrine, l'autre perpendiculaire au corps. Dinesh resta un moment immobile, craignant de la réveiller au moindre bruit, mais Ganga conserva sa nouvelle position, et, convaincu qu'elle dormait toujours profondément, il laissa son corps se détendre. Depuis combien de temps était-il assis là dans l'obscurité, difficile de le savoir. Une heure peut-être, peut-être même plus, perdu dans ses pensées, se balançant machinalement d'avant en arrière au rythme doux et régulier de la respiration de Ganga. Pendant tout ce temps ils avaient été l'un à côté de l'autre, elle allongée la tête sur un côté de l'oreiller de terre, lui assis sur l'autre, mais hypnotisé par le bruit délicat et régulier de la poitrine de Ganga qui se soulevait et retombait, de l'air qui entrait et ressortait de son corps pareil au flux et reflux discret des vagues, il avait oublié que c'était un être humain vivant qu'il écoutait, et pas juste n'importe quel être humain vivant, mais sa femme. Il se pencha prudemment sur l'oreiller et contempla son visage ombragé. La mâchoire légèrement entrouverte, elle avait une expression sereine, dénuée de toute la tension qui l'avait raidie la journée. Ses lèvres remuaient faiblement, actionnées par des mots inaudibles, et sous ses paupières, d'étranges images semblaient vaciller puis mourir. Elle rêvait, semblait-il, flottant ou chutant dans un monde entièrement contenu en elle. Quel genre de monde était-ce, Dinesh n'en savait rien, il n'avait aucun accès à ces rêves, bien sûr, mais le fait qu'un tel endroit pût être alimenté à l'intérieur de ce corps calme et immobile l'emplissait néanmoins d'un étrange respect.

Il était difficile de savoir ce que ressentait désormais Ganga vis-à-vis de leur mariage, si elle avait toujours des réserves, ou si après avoir passé un peu de temps en sa compagnie, ses sentiments avaient changé. Elle s'était montrée réticente à quitter la tente de son père pendant la préparation du dîner, certes, mais un changement était survenu le temps qu'ils finissent de manger, et elle n'avait plus paru perturbée par l'idée de partir à la clairière. L'angoisse que trahissait un peu plus tôt son visage avait disparu et ses traits, d'abord impénétrables, semblaient dorénavant plus doux, moins intransigeants, comme si dans l'intervalle elle en était somme toute venue à se montrer plus encline au mariage. Elle avait décidé, comme si leur déplacement allait être permanent et non temporaire, qu'ils prendraient non seulement le sac beige que son père leur avait donné, mais aussi les ustensiles de cuisine ainsi que les sacs de riz et de dhal. Elle avait même plié le morceau de bâche étendu à l'entrée de la tente familiale, ne laissant que le sari posé dessus, et ce probablement juste pour que la tente ne semble pas abandonnée après leur départ. Quand ils avaient eu fini de tout rassembler, elle les casseroles, les assiettes, la nourriture et la louche, lui le sac et la bâche roulée, elle lui avait fait signe d'ouvrir la voie jusqu'à la clairière, semblant signifier clairement que c'était à cause de lui qu'elle partait et, lui en tête, ils avaient traversé le camp en silence, veillant à être le plus discrets possible. Ils avaient évolué ensemble à la même vitesse sans aucun effort conscient, levant les pieds du sol et les projetant vers l'avant en même temps et au même rythme, sans que ni l'un ni l'autre n'ait besoin de ralentir ni d'accélérer. Arrivés à la clairière, ils avaient déposé leurs affaires sans bruit, prenant soin de ne pas troubler la paix des lieux. Après lui avoir jeté un regard, presque comme pour lui demander la permission, Ganga s'était saisie de la bâche, qu'elle avait déroulée sur la terre humide devant le rocher. Elle avait ensuite sorti du haut du sac beige un sari appartenant à elle ou à sa mère, l'avait plié en deux puisqu'il était trop large pour le lit, puis l'avait agité de sorte qu'il s'était gonflé comme un vrai drap et l'avait étendu sur la bâche. Elle en avait aplati les bosses et les plis pour qu'il soit étalé de la manière la plus lisse possible, puis s'était assurée d'un tapotement qu'il était doux et sec. Plaçant soigneusement ses tongs juste derrière le bord du lit, elle avait bâillé doucement et s'était allongée face au rocher.

Dinesh avait espéré que ce bâillement était une façon de signifier qu'ils pouvaient s'allonger ensemble au lieu de rester assis, et non pas que, fatiguée, elle voulait se reposer, mais avant qu'il arrive à débrouiller la situation, Ganga s'était roulée en boule et il avait entendu le souffle doux et régulier de son sommeil.

Peut-être était-elle simplement fatiguée. Peut-être était-elle encore contrariée par la disparition de son père et voulait simplement s'allonger de façon à pouvoir y réfléchir seule. Il était difficile d'avoir la moindre certitude, mais dans tous les cas il ne fallait probablement pas surinterpréter ce geste, il le savait. Maintenant qu'elle dormait, il avait enfin l'opportunité d'étudier sans embarras ses traits, qui seraient probablement un meilleur indicateur de son sentiment sur leur mariage que tout ce qu'elle avait pu dire ou faire. Quittant le plus discrètement possible son appui contre le rocher, Dinesh se leva et se pencha sur la plante des pieds. À moitié accroupi, il longea en crabe la bordure de pierres et de galets, le dos chatouillé doucement par les fougères, jusqu'à se retrouver à mi-chemin entre la tête et les pieds de Ganga. Il s'arrêta un instant afin de s'assurer que cette agitation n'avait pas perturbé son sommeil, puis, légèrement penché en arrière, il essaya d'embrasser d'un coup l'intégralité de son existence. Ganga était grande et pourtant, étendue devant ce gros rocher qui protégeait la maison de Dinesh, les yeux clos et le visage inconscient, elle paraissait petite, vulnérable. La robe qui reposait silencieusement sur son corps luisait faiblement dans la lumière bleu nuit, et en dessous, le soulèvement et l'affaissement de sa poitrine et de sa taille creusée semblaient comme une protestation, un défi infime mais sans détour lancé au monde. Dinesh s'appuya sur les mains et avança tout doucement vers les petits pieds arqués. De temps à autre, les orteils menus se tendaient puis se recroquevillaient, principalement sur le pied droit, mais aussi sur le gauche, comme si dans son rêve Ganga courait ou essayait de se cramponner au sol de ses pieds nus. Durant ces brefs mouvements, les tendons au départ des orteils apparaissaient fugitivement, tandis que les veines étroites qui s'enroulaient autour restaient visibles : elles remontaient le pied, contournaient la cheville finement articulée et disparaissaient dans la jambe. Sa robe avait légèrement remonté pendant son sommeil, découvrant de petits bouts de tibias d'où émanait une lueur mate, telle une source de vie. Dinesh approcha la tête de cette section de peau nue qu'il balaya du regard, semblant vouloir découvrir si cet éclat était le produit de la lumière et de l'angle, ou s'il était inhérent à la peau. Le visage frôlant le corps de Ganga, le nez empli de l'odeur légèrement âcre de sa robe, il remonta le long des cuisses, s'attarda un instant au-dessus de l'entrejambe, puis alla jusqu'à la taille, qui se soulevait et retombait en cadence avec sa respiration. Chaque fois que le nombril se creusait, l'envie le prenait d'y poser la tête, comme si en se laissant aspirer par ce vortex il eût pu chuter dans un autre monde, mais évidemment il n'osait pas. Il ne voulait pas la réveiller, non pas parce qu'en ouvrant les yeux elle le trouverait là dans une proximité parfaitement déplacée, mais parce qu'il ne voulait pas perturber l'existence délicate d'une forme de vie aussi relâchée. Et comme s'il craignait de ne pas pouvoir rester si près de ce corps sans le toucher, il leva la tête et essaya de l'étudier à nouveau de loin.

Entrouverte au milieu du lit à côté de sa taille, reposait la main droite de Ganga. Ses doigts fins à demi courbés semblaient hésiter entre continuer à tenir quelque chose ou le lâcher. Dinesh approcha son visage au-dessus de cette main comme pour la repousser avec son nez, mais, sans la toucher, il reprit sa transhumance le long du corps de Ganga. Il remonta lentement, patiemment, de la menue pulpe des doigts jusqu'au poignet délicat, le long du grand bras paisible, jusqu'aux manches de la robe, sautant par-dessus l'épaule pour rejoindre l'encolure, les bosses des clavicules et le cou nu. À côté du cordon jaune du thaali, courait une veine qui remontait distinctement sur le côté du cou avant de disparaître sous la mâchoire. À l'instar des milliers d'autres vaisseaux sanguins qui devaient être cachés profondément sous la peau, effectuant des allers-retours entre le cœur et les autres parties du corps, cette veine devait elle aussi avoir la responsabilité d'insuffler la vie à quelque partie précise du corps de Ganga, peut-être même à son visage. Pareil à ses doigts et à ses orteils, son visage était troublé de temps à autre par de subtils mouvements des lèvres, des paupières et des sourcils, et peut-être était-ce cette veine-là qui était à l'origine de cette vie. En observant ces mouvements, Dinesh eut de nouveau envie de toucher Ganga, pas nécessairement de s'allonger sur elle et de se laisser tomber en elle, mais simplement de toucher son visage, un instant, du bout des doigts. Il voulait passer la main sous sa mâchoire, caresser ses sourcils, ou mettre sa tête contre la sienne, joue contre joue, de façon que leurs tempes se frôlent, n'importe quoi qui lui permettrait de sentir le menu tremblement du sang qui palpitait sous la surface cutanée, de sorte qu'en écoutant ce doux battement il arriverait peut-être à pénétrer son rêve. Évidemment, il était possible que sa peau différât de ce qu'il avait espéré, qu'elle fût rugueuse et inerte comme un bâton ou une branche, ou fraîche et granuleuse comme un galet ou une pierre, mais il avait envie de prendre le risque afin de savoir quel effet elle procurait vraiment, si elle était aussi chaude que son éclat le suggérait ou froide, s'il serait capable de percevoir le moindre signe de vie en dessous ou pas. Retenant son souffle, il approcha son visage du sien afin qu'ils se touchent presque mais pas tout à fait, afin qu'il puisse respirer l'odeur de sa peau humidifiée par une légère transpiration, et sentir sur ses paupières la légère pression pulsée de l'air chaud expiré et de l'air frais inspiré par les narines délicatement sculptées. S'il avait pu il ne l'aurait pas seulement touchée, il l'aurait aussi enveloppée dans ses bras, serrée si fort qu'ils se seraient effondrés l'un dans l'autre, mais Ganga était vivante, il le savait, et elle était entière, pareille à d'autres formes de vie c'était une chose fragile, et même le plus infime contact pouvait l'affecter.

Une brise s'engouffra entre les arbres, les feuilles alentour s'agitèrent doucement avant de s'immobiliser. Dinesh recula. Ganga remua dans son sommeil et continua à dormir, l'effet de la brève proximité de Dinesh manifestement absorbé sans difficulté dans un quelconque aspect de son rêve. En un sens, c'était bien qu'elle soit parvenue à s'endormir. Ça voulait dire que la clairière lui avait procuré un sentiment de sécurité et de confort, que par certains côtés au moins elle avait trouvé que ce lieu répondait à ses besoins. De fait, il était difficile de ne pas ressentir quelque fierté à l'égard de sa maison en regardant Ganga et son sommeil aussi paisible ainsi que toutes les affaires qu'elle avait apportées, la bâche en plastique et le sari étalés soigneusement sur le lit, le sac beige avec tous ses biens sur la bordure opposée, et les ustensiles de cuisine empilés négligemment à côté. Tous ces nouveaux objets donnaient somme toute l'impression que la clairière était plus concrète, plus substantielle qu'avant, comme si sa valeur en tant que maison avait été confirmée objectivement par la manière on ne peut plus harmonieuse dont ces nouveaux éléments s'y étaient intégrés, par l'impression de naturel qu'ils dégageaient dans leur nouvel environnement. Dinesh s'assura d'un coup d'œil que Ganga dormait toujours paisiblement, puis se déplaça prudemment le long de la bordure du lit pour aller vers le sac, qu'il contempla un moment sans bouger. Malgré le long voyage et les conditions rudes, la toile solide avait conservé sa robustesse. Les coutures maintenaient encore fermement les deux côtés ensemble, et la glissière fermait encore pour garder le contenu parfaitement scellé. Il ne faisait aucun doute que ce sac avait été ouvert et fermé à de nombreuses reprises depuis qu'il avait été rempli en vue de la première évacuation, et son contenu avait probablement changé du tout au tout au cours du voyage, et pourtant, Dinesh en avait l'intuition, il devait toujours appartenir au monde dans lequel Ganga avait vécu avant le début des combats. S'il l'ouvrait, il aurait pour ainsi dire une chance d'avoir un aperçu de ce monde qui lui était inaccessible à lui, et maintenant à elle-même très probablement, et ce faisant il serait peut-être en mesure de mieux comprendre qui était Ganga. C'était avec cet espoir qu'un peu plus tôt dans la tente il avait palpé aussi méticuleusement la surface du sac, mais maintenant qu'ils étaient seuls et que Ganga dormait, il avait l'occasion de passer en revue chaque objet un par un, patiemment, en essayant de comprendre. Ouvrir le sac et regarder à l'intérieur serait évidemment très différent de se contenter d'en caresser la surface. Il ne restait à présent nulle autre trace du monde dans lequel Ganga avait vécu, et en ouvrant ce sac il risquait d'en souiller les ultimes vestiges, à l'instar d'une vieille photo qu'on retire d'un album crasseux afin de mieux l'étudier, et qui se désintègre aussitôt. Dinesh regarda de nouveau Ganga : elle dormait toujours paisiblement derrière lui. Peut-être ouvrirait-il le sac juste pour voir ce qu'il y avait sur le dessus, sans vraiment étudier l'ensemble du contenu ni rien sortir. Il hésita un instant puis, veillant à ne pas faire trop de bruit, ouvrit la glissière. Il écarta les deux bords et se pencha tout près de façon à pouvoir percer l'obscurité.

Il y avait sur le dessus une couche presque uniforme de vêtements soigneusement pliés, des saris en grande partie, mais également d'autres habits que Dinesh n'arriva pas à identifier simplement au tissu, des robes probablement, et des chemisiers. Glissés au bord, à la verticale, étaient rangés le tableau de Lakshmi dont le père de Ganga s'était servi pour le mariage et à côté les deux chemises en carton qu'il avait sorties afin d'y accéder. Sans les sortir, il entrouvrit les chemises pour avoir un aperçu de leur contenu. Il y avait principalement des documents, des lettres, des enveloppes, dont le rebord, qui avait été mouillé, était ondulé, et dont l'écriture était difficile à déchiffrer dans l'obscurité. En face des chemises se trouvaient plusieurs sacs en polythène soigneusement fermés qu'il ne voulut pas toucher de crainte de produire un bruit de froissement, et, tout au bout du sac, où il n'y avait aucun vêtement, se trouvaient les deux bouteilles d'eau que Ganga avait remplies avant leur départ, et en dessous, empaquetés soigneusement, les deux sacs de riz et de dhal. Dinesh passa prudemment en revue quelques vêtements au milieu du sac avant de les laisser retomber à leur place d'origine. Il ne pouvait pas voir ce qui se trouvait en dessous sans carrément les sortir, or il ne voulait pas plonger les mains plus loin. Palper ce qui se trouvait dans le fond au lieu de se limiter aux couches supérieures conduirait à exposer inutilement les affaires que le sac protégeait, se disait-il, comme si pour découvrir les pensées et les sentiments de Ganga il devait pratiquer une incision à l'arrière de son crâne, écarter les couches externes de matière grise, et jeter un œil au milieu. Les affaires rangées dans le sac seraient sorties quand le besoin s'en ferait sentir. Il n'y avait aucune urgence à découvrir ce qu'elles étaient, car en temps voulu il serait amené à tout voir.

Il referma sans bruit la fermeture à glissière et resta assis un moment à contempler le sac scellé, comme pour s'assurer qu'il avait la même apparence qu'avant qu'il n'y touche, qu'il n'avait pas subi de quelconque changement durable. Dinesh s'apprêtait à se lever pour retourner à son siège quand il remarqua, sur un côté du sac, une poche extérieure. À son renflement, il devina qu'elle était remplie, mais puisque c'était une poche latérale, il ne devait pas s'agir d'objets de valeur, rien qu'il aurait pu craindre de ternir. Il jeta un œil par-dessus son épaule pour s'assurer que Ganga dormait toujours, puis se pencha en avant, ouvrit la fermeture à glissière de la poche, y glissa la main et palpa l'intérieur. La première chose qu'il trouva, devina-t-il grâce aux angles arrondis et à la surface lisse et polie, était une savonnette, relativement neuve. Sa couleur était difficile à déterminer dans l'obscurité, rose pâle ou jaune, mais lorsqu'il la porta à son nez et la huma, il reconnut l'odeur sucrée de citron vert qui avait flotté autour de la peau de Ganga un peu plus tôt, quand en s'accroupissant devant elle il lui avait noué le thaali autour du cou. Il glissa le savon dans sa poche de chemise puis enfonça de nouveau la main dans la poche latérale du sac. Ce que ses doigts discernèrent ensuite fut une bande de plastique rectangulaire pourvue sur un côté d'une rangée de dents espacées régulièrement : un peigne semblait-il. Il replongea la main afin d'identifier les articles restants : une brosse à dents, deux ou trois tubes de dentifrice et une paire de ciseaux légèrement rouillée, qu'il remit dans la poche avant de refermer la glissière, se satisfaisant pour l'instant du savon et du peigne.

Il réintégra lentement sa place de l'autre côté de l'oreiller de terre, où il s'assit dos au rocher. Il resta immobile un moment, la douce respiration de Ganga se poursuivait régulièrement à côté de lui, sans être perturbée le moins du monde. Il sortit alors le peigne de sa poche, l'observa un temps, puis caressa du bout du doigt la rangée de dents, dont il écouta le joli tintement à mesure qu'elles se redressaient. Lentement d'abord, puis plus vite deux ou trois fois de suite, il fit courir le peigne sur son avant-bras. Les pointes des dents le piquaient à travers la couche de crasse et de peau morte qui s'était accumulée sur son corps, envoyaient un frisson rafraîchissant le long de son cou et de son dos tandis que chacune des dents se frayait séparément mais simultanément son propre chemin le long de son bras. Amenant ensuite le peigne sur ses jambes, il le fit remonter sur le côté de sa cheville, où les dents redressaient les poils les plus longs et les plus bouclés et tiraient dessus, de sorte qu'il avait la sensation de petites piqûres d'épingles partout sur la peau. Il continua ainsi pendant un moment, d'abord avec la jambe gauche puis avec la droite, et ensuite, se rendant compte que ce peigne était celui-là même dont il avait vu Ganga se servir dans le camp, qu'il était censé être utilisé sur la pilosité de la tête et non celle des bras et des jambes, il l'inséra dans ses longs cheveux sales broussailleux, et essaya de le tirer jusque derrière sa tête. Il répéta ce geste à partir de différents points de départ, mais les dents avaient beau s'enfoncer doucement dans son cuir chevelu et le chatouiller agréablement, ses cheveux étaient par trop emmêlés et enchevêtrés pour qu'il puisse les peigner correctement. Amalgamés en épaisses touffes grasses cimentées par des pellicules qui lui tombaient devant les yeux chaque fois qu'il se grattait la tête, ils empêchaient le peigne de passer.

Dinesh abaissa le peigne dans son champ de vision et le contempla dans l'obscurité. Il fit de nouveau courir un doigt sur la rangée de dents, qu'il écouta se redresser l'une après l'autre. Brusquement, il eut envie de se laver. Cela faisait une éternité qu'il n'avait pas pris de bain, or à l'aide de la savonnette de Ganga il pourrait se décrasser des pieds à la tête. Durant les quelques mois qui venaient de s'écouler, il n'avait rien fait de plus que s'asperger le visage de temps en temps, or ni ça ni la pluie qui le surprenait parfois n'avaient suffi à le garder propre. Une pellicule têtue de sel, de poussière et de graisse s'était déposée partout sur sa peau, formant une croûte qui entravait sa liberté de mouvements. Son visage s'était figé en un masque, empêchant toute expression d'émotions, et l'argile avait si profondément taché d'ocre ses plantes de pied qu'il n'avait presque plus de sensations, pas même sous la voûte plantaire où, petit, il était si chatouilleux. S'il se lavait maintenant, il pourrait prendre le temps de gratter toutes ces couches inertes de matière étrangère, alléger et libérer son corps, restituer à sa peau sa sensibilité originelle. Il y avait également une chance qu'en se nettoyant il se rendrait plus acceptable aux yeux de Ganga, réduirait son ambivalence au sujet de leur mariage. D'autres raisons expliquaient qu'elle garde ses distances avec lui, bien sûr, elle était encore affectée par la mort de sa mère et de son frère et par la désertion de son père, mais peut-être que s'il était propre et qu'il sentait bon, elle le verrait d'un autre œil, comme quelqu'un digne d'être épousé plutôt que comme un sujet de honte. Il connaissait un puits où en plus de prendre un bain, il pourrait laver son sarong et sa chemise, frotter le sang et la crasse, si bien qu'il porterait également des vêtements dénués de souillures. S'il était propre et vêtu d'habits propres, peut-être Ganga en viendrait-elle à le considérer comme quelqu'un de responsable, capable de prendre soin de lui et, partant, d'elle aussi. Il était difficile d'en avoir la certitude, mais peut-être que s'il se décrassait correctement et se servait du savon sans mégoter, elle aurait aussi moins de mal à être près de lui et serait plus encline à le laisser s'allonger à ses côtés, voire la serrer dans ses bras. Et envisager cette possibilité avait beau être absurde puisqu'il était peut-être complètement impossible à Ganga de ressentir des choses pareilles en l'état actuel, peut-être le trouverait-elle même séduisant, s'il prenait un bain.

Quitter la clairière de nuit était évidemment risqué. Il s'exposerait à se faire repérer par des cadres, car il attirerait davantage les regards à cette heure-là que pendant la journée, d'autant que les autres évacués ne seraient plus en train de vaquer à leurs occupations. Sans compter qu'un aller-retour au puits prendrait du temps, et qu'on ne pouvait écarter l'hypothèse que le bombardement commence pendant son absence. En général, quand le camp était bombardé de nuit, c'était dès la tombée du jour, à l'heure du repas ou juste avant, ou sinon juste à la fin, à potron-minet. Il y avait donc de bonnes chances qu'il reste encore deux ou trois heures avant le début de la prochaine session, qu'il n'arrive aucun mal à Ganga s'il la laissait maintenant juste pour un petit moment, bien qu'il n'y eût évidemment aucune garantie puisque l'heure et le lieu des largages ne dépendaient en définitive que de l'humeur de la personne en charge de l'armée. Même s'il n'y avait pas de bombardement, il restait toujours la possibilité que Ganga se réveille d'elle-même. Le cas échéant, en découvrant le départ de Dinesh elle serait apeurée ou inquiète, voire se sentirait trahie ou abandonnée. Il lui jeta un rapide coup d'œil, elle semblait toujours profondément endormie. Il pourrait être de retour en moins de quarante-cinq minutes s'il se dépêchait, une heure tout au plus. Son organisme commençant à digérer le riz et le dhal qu'il avait mangés un peu plus tôt, il se sentait plein d'énergie, capable d'accomplir n'importe quoi. Il avait l'impression qu'à peine aurait-il quitté la clairière pour aller au puits il y serait déjà, l'eau douce et fraîche éclaboussant son corps fatigué et crasseux. Dans l'intervalle, la bordure de galets et de pierres qu'il avait construite assurerait la sécurité de la zone, et rien de dangereux ne pourrait pénétrer à l'intérieur de ce périmètre tant que Ganga s'y trouverait.

Il se leva et se dirigea vers le sac, remisa le peigne dans la poche latérale et, sur un coup de tête, sortit les ciseaux, dont il pourrait éventuellement se servir pour se couper les cheveux. Il se redressa alors et rejoignit la lisière de la clairière en deux ou trois grands bonds pardessus les fougères et les arbustes, puis s'arrêta et hésita. Il rebroussa chemin pour contempler une fois de plus Ganga. Elle était étendue là sur le lit, les bras déployés, toujours aussi calme et inconsciente. Bizarrement, il se disait que ce serait agréable de partir et de revenir, de la trouver à son retour toujours allongée là, bien en sécurité, paisiblement, respirant lentement à côté du rocher. Tout comme quand, par le passé, en rentrant de l'école ou du travail il remarquait certains menus changements discrets dans la maison — une lettre sur la table, les fenêtres ouvertes ou fermées, des vêtements mouillés qui pendaient au fil à linge — et se sentait étrangement rassuré par ces détails qui montraient que sa vie faisait partie d'un tout plus vaste doté de sa propre vitesse et de sa propre énergie, un tout doté de sa propre impulsion de mouvement, de la même façon il serait gratifiant de revenir à la clairière après son bain et de découvrir que Ganga avait poursuivi son existence sans lui, qu'indépendamment de lui sa petite poitrine avait continué à se soulever et à s'affaisser, que les vaisseaux à peine visibles sous sa peau avaient continué à palpiter. Réconforté par cette idée, il fit volte-face et se fraya un passage à travers les arbres.

5

Au début, bien qu'il ne vît pas le sol devant lui, Dinesh fendit rapidement l'obscurité de la canopée. C'était agréable d'utiliser vigoureusement ses jambes après être resté assis aussi longtemps, de sentir à chaque pas la pression dans ses pieds et la tension dans ses chevilles qui soulevaient le poids de son corps. Il parcourut avec une belle assurance son chemin habituel, puis à mesure que la densité des arbres diminuait et que l'obscurité cédait du terrain, il ralentit malgré lui, pas tant à cause d'un quelconque épuisement que d'une sorte d'appréhension de ce qui allait se passer lors de sa traversée du camp. Ses gestes se firent plus hésitants, et finalement, à la lisière de la jungle, il s'arrêta complètement. Le ciel, immense et vide, s'ouvrait au-dessus de lui. L'éclat du croissant de lune était bien visible, sauf lors de brefs intermèdes où des volutes de nuages translucides voguaient en dessous, diffusant une douce lumière bleue qui semblait venir de nulle part. Chacune des tentes déployées devant lui dans le vaste campement absorbait et reflétait cette lumière, on aurait dit un rassemblement nocturne de spectres sans cachette. On entendait au loin le martèlement sourd de l'artillerie et des fusillades, mais le camp lui-même semblait enveloppé d'un cocon de silence, comme si les combats qui faisaient rage sans interruption au nord, à l'ouest et au sud étaient une couverture dans laquelle il s'emmitouflait, et non une chose susceptible de le pénétrer et de le détruire à sa guise, sans prévenir, plusieurs fois par jour.

Veillant à ne pas déranger ce calme pénétrant, Dinesh franchit doucement la limite du camp. La plupart des évacués étaient dans leurs tentes avec leur famille et leurs affaires, mais nombreux étaient ceux qui dormaient à la belle étoile, par terre ou dans des tranchées découvertes, seuls ou en groupes qui pouvaient aller jusqu'à quatre ou cinq personnes. Alors qu'il les observait en traversant les sections les plus peuplées du camp, Dinesh sentit monter en lui le sentiment sacré d'être seul éveillé dans un lieu où tous les autres dorment. Ceux qui venaient juste de sombrer, il les distinguait facilement à leur front plissé et à leurs lèvres boudeuses, à leur lutte forcenée pour repousser le monde encore imprimé sur leur visage. Muscles contractés, corps replié en une balle compacte, yeux convulsivement fermés comme pour empêcher tout élément extérieur de pénétrer, ils se démenaient pour atteindre ou conserver un état de sommeil avant que le bombardement suivant le rende impossible, et ce d'une manière qui n'était peut-être pas si différente de la façon dont, de nombreuses années auparavant, quand il se réveillait avant l'heure le matin, il refusait d'ouvrir les yeux et s'entêtait à faire mine d'être encore endormi, même s'il savait pertinemment que bientôt il allait devoir se lever et rejoindre le monde. Les gens qui dormaient depuis plus longtemps, eux, laissaient leur corps se détendre et leurs lèvres s'affaisser. Leur visage, paisible, relâché, n'affichait plus aucun signe de lutte pour repousser le monde. La plupart gardaient encore leurs sacs sous leur tête en guise d'oreiller, ou passaient un bras ou une jambe dessus comme s'il s'agissait d'un ours en peluche, mais contrairement aux autres ils ne s'y cramponnaient plus, ni même ne les serraient. On aurait dit qu'ils avaient largement cessé de se soucier de leur environnement, leur regard semblait s'être en quelque sorte tourné vers l'intérieur, loin de leurs yeux, de leurs oreilles, de leurs mains et de leurs pieds. La plupart rêvaient, à l'instar de Ganga dans la clairière, lèvres frémissantes, paupières tressautantes, leurs doigts et leurs orteils s'enroulaient et se déroulaient, en apesanteur dans un royaume incertain d'objets mouvants et de sentiments obscurs, encore partiellement ancrés dans le monde mais à peine, tandis que quelques-uns d'entre eux, semblait-il, étaient parvenus à se laisser aller complètement. Bouche ouverte, bras et jambes écartés, le soulèvement et l'affaissement de leur poitrine si subtils qu'on peinait à voir s'ils respiraient encore, un petit nombre de gens qui allait cependant grandissant avaient totalement cessé de rêver, semblait-il, perdus dans un sommeil plus profond, plus intemporel. On aurait dit que ces dormeurs s'étaient complètement désengagés du monde, non seulement de ses objets mais aussi des formes à travers lesquelles ces objets étaient perçus dans la vie ordinaire, on aurait dit qu'ils avaient laissé leur corps allongé sans surveillance dans le camp et étaient partis ailleurs, certains de n'avoir rien à craindre entre-temps, alors que, en réalité, évidemment, des éclats de métal pouvaient tomber du ciel à tout moment.

C'étaient ces gens en particulier, perdus dans ce sommeil plus profond, plus complet, que Dinesh n'avait pas envie de déranger. Il prit soin de ne pas marcher trop près de leurs têtes, et en regardant au passage leurs visages calmes et inconscients, il ressentit clairement le ralentissement de son corps à côté d'eux, la précaution avec laquelle ses pieds s'arquaient puis s'abaissaient sur la terre, le silence avec lequel ses chevilles se tendaient pour le soulever et faire basculer son poids sur le deuxième pied. Même si probablement aucun de ses bruits ne les réveillerait, il craignait malgré tout de perturber le silence qui entourait leur sommeil, redoutait, comme quand on entre dans un temple vide, d'émettre le moindre son, comme si en un sens il n'existait pas de véritable différence entre le silence exigé par le divin et le silence exigé par le sommeil. On aurait dit qu'après avoir complètement renoncé au monde extérieur, ces dormeurs étaient désormais en présence d'une chose spéciale, insaisissable et belle, qui était apparue ou était devenue visible en eux et les captivait complètement, comme quand on scrute le fond d'un puits momentanément inutilisé, dans lequel le mouvement de l'eau s'est calmé et où même les rides les plus ténues à la surface se sont lissées, et qu'on repère tout au fond des détails passés totalement inaperçus au cours de ses longues années d'utilisation. Hypnotisé, on est alors de plus en plus attiré vers le gouffre, mais tout comme un simple insecte effleurant la surface de l'eau peut suffire à détourner notre attention des profondeurs, nous faire ciller et tourner les talons, Dinesh craignait que même le plus infime de ses mouvements pût détourner de leur trouvaille ces gens profondément endormis.

En passant à côté de tous les dormeurs du camp, il se demandait s'il n'avait pas commis une erreur en ne cherchant pas davantage à trouver le sommeil durant les quelques mois qui venaient de s'écouler, non seulement parce qu'il était fatigué, mais parce que peut-être qu'en ne dormant pas il manquait quelque chose qu'il n'aurait plus l'occasion d'atteindre. Il avait passé tellement d'années à essayer d'éviter le sommeil, de le repousser telle une énième distraction du sens principal de la vie, sens qu'il n'était jamais parvenu à trouver mais qu'il attendait néanmoins avec impatience, dans l'espoir qu'il se manifesterait d'une manière ou d'une autre dans le ciel nocturne. Même quand il était fatigué et qu'il devait se lever tôt, il veillait tard, comme si en restant debout il se mettait en position d'accueillir une expérience longuement attendue que la vie lui refuserait s'il s'endormait. Cependant peut-être s'était-il fourvoyé, peut-être aurait-il dû faire plus d'efforts pour s'endormir, se montrer plus sensible à ce que pouvait apporter le sommeil, à ce qu'il leur apportait aujourd'hui à tous. Après tout, quand on dort, les perturbations sont toujours malvenues, quand on dort on aimerait rester assoupi le reste de sa vie. Même à présent il refusait d'aller se coucher, il refusait de dormir, semblant croire que s'il ne fermait pas les yeux, il se passerait quelque chose qui justifierait la peine qu'il s'était donnée à veiller et lutter si longtemps, pourtant quelle récompense pourrait donc bien advenir, quel bien pourrait-il résulter d'être éveillé maintenant ? Il avait voulu prendre un bain afin d'être accepté par Ganga, mais en admettant que ça aide, il devrait tout de même attendre son réveil pour qu'elle le remarque, alors il aurait tout aussi bien pu essayer de dormir et prendre un bain le matin, car là au moins il aurait pu la prévenir avant de la laisser seule. S'il le voulait, il pouvait toujours rebrousser chemin, évidemment, Ganga dormirait toujours paisiblement dans la clairière, probablement à l'heure qu'il était serait-elle plongée dans un sommeil profond. Il pouvait toujours rebrousser chemin et s'endormir à ses côtés, se recroqueviller, glisser les mains sous sa tête et se laisser lui-même tomber peu à peu dans ce profond état inconscient. S'il rebroussait chemin pour s'allonger à côté de Ganga il aurait tout ça, il le savait, mais il était si loin à présent, presque au puits. Ce serait bon de nettoyer son corps, il le savait, et il serait plus plaisant de s'endormir une fois propre. Il souhaitait, pour l'instant du moins, rester éveillé.

Le puits dont il avait prévu de se servir se trouvait juste derrière les bâtiments de l'école qui abritaient la clinique, dans une courette circonscrite par la jungle au sud et à l'ouest. À l'approche de la zone, Dinesh fit un grand détour afin d'éviter de passer à côté des dizaines de blessés qu'on avait allongés sur des bâches juste en face de la clinique. Leurs corps maigres, déchirés, fracassés, n'étaient séparés que par de minces bandes de sol ensanglanté ; dans la mesure du possible il préférait éviter de se retrouver à proximité. Cela dit, il dut tout de même longer les innombrables cadavres que personne n'avait réclamés et qui avaient été allongés au sud-est de la clinique, et plus il approchait, plus il était angoissé à l'idée de marcher sur quelque chose de mort. Il faisait des enjambées prudentes, ne laissant que ses orteils entrer en contact avec le sol, si bien qu'il avançait plus ou moins sur la pointe des pieds. S'il venait à fouler quelque chose de mou mais qui semblait doté d'une structure, il s'arrêtait aussitôt, le corps momentanément figé, puis, plein de crainte, tapotait l'objet du bout de sa chaussure pour s'assurer qu'il ne s'agissait que d'une chose normale, naturelle, d'une grosse plante ou d'une petite branche sous un tas de feuilles. Évidemment au cours des nombreux combats il s'était habitué aux corps et aux membres sans vie, cela ne l'avait pas bouleversé trop longtemps, mais après s'être trouvé si près de tous ces gens endormis dans le camp et aussi du corps paisible et délicatement vivant de Ganga dans la clairière, l'idée d'être au milieu des morts l'angoissait. Il y avait d'autres pompes et puits dans le camp dont il aurait pu se servir plutôt que de celui-ci, mais le problème était qu'ils ne procuraient aucune intimité. Se laver aux autres puits ou pompes signifiait le faire à la vue des autres évacués et donc aussi potentiellement des patrouilles du mouvement. En revanche la zone du camp à proximité de la clinique était généralement, pour une raison mystérieuse, évitée par les cadres, et le puits de la clinique lui-même était parfaitement clos entre l'arrière des bâtiments de l'école et la végétation environnante. Aucun blessé n'y était installé, les seules personnes à jamais s'y rendre étaient les infirmières et les bénévoles qui y remplissaient des seaux d'eau afin de nettoyer les plaies, laver les instruments et donner à boire aux blessés, dont certains, surtout ceux qui avaient été touchés à l'estomac, souffraient d'une soif inextinguible. Il y avait un risque que l'un d'eux soit en train d'utiliser le puits, mais il était près de minuit, on était dans ce bref intervalle de trois ou quatre heures où presque tout le monde dans le camp essayait de dormir, même dans la clinique, c'est pourquoi il y avait de grandes chances pour que la zone soit inoccupée.

Il suivit à petits pas le sentier étroit qui courait entre le mur de la salle des professeurs et les arbres, le visage caressé par les feuilles dans l'obscurité, jusqu'à atteindre l'angle du bâtiment où il se figea afin de scruter la cour de l'école. On voyait au centre l'épaisse margelle circulaire du puits, d'une hauteur d'environ un mètre, et autour la terre nue, parsemée ici et là de touffes d'herbe qui luisaient faiblement au clair de lune. Lovée entre la façade arrière des deux bâtiments scolaires et le cercle d'arbres qui formait la limite de la jungle, la zone semblait étrangement calme et paisible. S'il n'y avait eu le seau à côté du puits et les deux brancards improvisés à l'aide de bâtons et de sarongs posés au sol, on aurait cru que ce lieu avait été déserté par les hommes depuis de nombreuses années. Dinesh resta caché encore une minute ou deux à l'angle de la salle des professeurs, et ce n'est que lorsqu'il eut la certitude qu'il n'y avait personne dans les parages qu'il commença à traverser la cour découverte en direction du côté le plus éloigné du puits. Il essayait d'assourdir le bruit des pulsations de son cœur en marchant, comme si le fait d'être silencieux eût pu compenser l'ostentation de ses mouvements, et lorsqu'il grimpa sur la plateforme en béton légèrement surélevée il resta parfaitement immobile à côté de la margelle du puits, comme pour convaincre un éventuel spectateur qu'il n'était en réalité qu'un objet inanimé. Sans bruit, il ôta ses tongs et se baissa de façon à s'asseoir en tailleur dos à la margelle lisse en béton. Devant lui, tout près, commençait l'enchevêtrement des taillis qui allaient s'épaississant sur près d'un mètre avant de se fondre dans les arbres, et ainsi cerné par les deux bâtiments derrière lui et le demi-cercle de jungle devant lui et sur les côtés, il se sentait caché et barricadé de toutes parts, convenablement protégé. Personne ne pourrait le voir à moins de venir jusqu'au puits, or s'il ne faisait aucun bruit personne n'aurait de raison de le faire. Il était suffisamment seul et cloîtré, se disait-il, pas de façon permanente ni impénétrable, mais au moins assez pour se permettre de se retrouver dans une position vulnérable sur une courte durée.

Il sortit de sa poche de chemise la savonnette et les ciseaux qu'il avait pris dans le sac de Ganga. En traversant le camp il avait ramassé par terre un vieux journal, il en déplia une page, la déploya sur le béton devant lui et posa le savon au centre afin qu'elle ne s'envole pas. Prenant les ciseaux de la main droite et empoignant de la gauche une grosse touffe de cheveux sur le dessus du crâne, il hésita un instant, comme s'il s'apprêtait à faire un acte significatif, puis les coupa d'un coup sec. Il désépaissit encore le dessus avant de passer à l'arrière du crâne puis au sommet, déposant soigneusement chaque mèche coupée sur le journal. Les lames des ciseaux étaient légèrement rouillées et son pouce butait douloureusement dans l'anneau de la branche inférieure, mais la coupe elle-même était facilitée par l'agglomération de ses cheveux en touffes grasses distinctes. Une petite douleur se fit jour dans ses épaules à force de garder les bras levés, mais il continua patiemment sur les côtés, contourna prudemment les oreilles, puis retourna à l'arrière du crâne et descendit jusqu'à la nuque. Il poursuivit ainsi jusqu'à ce que ses cheveux lui semblent partout d'une longueur à peu près égale, pas plus de trois centimètres environ, puis reposa les ciseaux et laissa retomber les bras le long du corps. Sur le journal devant lui, étrange créature, gisait un gros tas de cheveux noirs, plus qu'assez pour recouvrir un crâne chauve. C'était difficile de croire qu'il en avait transporté autant sur sa tête depuis si longtemps, et que malgré leur volume il en avait à peine perçu le poids. Après avoir enlevé le savon, il repoussa les cheveux épars et les mèches de l'extérieur vers l'intérieur du papier. Les mains en coupe autour du tas, il se pencha et enfonça le bout du nez dans le sommet. Il inspira profondément, comme si cette odeur eût pu lui révéler le sens de ce qu'il venait de retirer de son corps, le sens de tout ce qui s'était passé durant la période où ce qu'il venait de couper avait poussé, mais il eut beau inspirer de toutes ses forces, ses cheveux ne sentaient rien.

Il s'adossa de nouveau contre le puits et resta un moment immobile. Il contempla son pouce, qui le lançait encore d'avoir été comprimé par l'anneau des ciseaux, et remarqua pour la première fois l'état de ses ongles. Pendant presque tout l'exode il les avait rongés, moins par désir de rester présentable que pour se donner une occupation, mais bien que ce geste en eût ralenti la pousse, il ne l'avait pas complètement arrêtée. Ils mesuraient à présent plus d'un centimètre, ceux des orteils presque autant, et ils étaient incrustés d'une épaisse couche de crasse brunâtre. Il essaya de gratter la saleté sous l'ongle de son index gauche avec le pouce de la main droite, mais la crasse était bien trop compacte pour être ainsi retirée. Reprenant les ciseaux, il porta l'index gauche tout près de son visage et essaya d'en couper l'ongle. Il prit soin d'actionner l'instrument lentement le long de la courbe du doigt de façon que l'ongle se détache d'un seul tenant et sans sauter, puis déposa la rognure sur un coin du journal et s'attaqua au doigt suivant. Quand il avait dix ou peut-être onze ans, se souvint-il, un jour son père l'avait violemment giflé pour s'être coupé les ongles après le coucher du soleil. Il lui avait déjà dit une fois avant cet épisode qu'il ne devait pas le faire, que s'il était dix-huit heures passées il devait attendre le lendemain matin, mais cette première fois-là il n'avait pas semblé aussi fâché, peut-être parce que de fait Dinesh n'avait pas encore commencé à se couper les ongles. La deuxième fois, en revanche, son père lui avait intimé de s'agenouiller et de palper le sol jusqu'à trouver toutes les vingt rognures, et, celles-ci réunies, les avait emportées dans la zone en jachère derrière leur maison et les avait jetées le plus loin possible dans les taillis. D'où venait cette règle et quelle en était la justification, Dinesh l'ignorait, mais après cet épisode, jamais plus il ne l'avait transgressée. À partir de ce jour-là, son premier instinct avait été de regarder l'heure chaque fois qu'il lui venait l'envie de se couper les ongles, et cette pratique lui était restée même après la mort de son père survenue deux ans après l'incident. Aujourd'hui cependant, il ne s'était rappelé cette règle qu'après avoir déjà commencé à se couper les ongles, comme si le souvenir de son père, auquel il pensait pour la première fois depuis fort longtemps, était si lointain que même ses injonctions les plus fermes ne l'influençaient plus. Il n'était pas encore trop tard pour arrêter de couper, bien sûr, il n'avait même pas encore fini la main gauche, mais maintenant qu'il avait commencé il ne servait à rien de s'arrêter, songeait Dinesh, puisque la règle avait déjà été enfreinte. Même s'il pouvait s'épargner les conséquences de son geste en se débarrassant des ongles de façon bienséante, comme son père l'avait fait, il n'était pas tout à fait sûr de la manière de s'y prendre, s'il allait devoir les enlever de l'endroit où ils avaient été coupés, si ce qui comptait était de les mettre là où personne ne les verrait ni ne marcherait dessus, ou si tant qu'ils ne restaient pas chez soi, ça allait. Quoi qu'il en soit, il n'était pas sûr d'avoir envie de s'en débarrasser tout court, car il y aurait une certaine satisfaction à les emporter emballés soigneusement avec ses cheveux. Peut-être que l'interdiction de se couper les ongles après la tombée du jour ne s'appliquait que jusqu'à minuit. Après minuit, une nouvelle journée commençait, après tout, de fait en un sens c'était déjà le matin, et donc peut-être la règle n'avait-elle même pas été violée.

Quand il eut terminé la main gauche il passa à la droite, allant du pouce à l'auriculaire, puis après avoir décroisé les jambes il s'attaqua à ses ongles de pied, plus épais et plus récalcitrants, d'abord le pied droit, ensuite le gauche. Une fois tous ses ongles de mains et de pieds coupés, il les rassembla, les déposa dans sa paume qu'il porta à son nez, et en huma la fragrance intime vaguement écœurante. Ils contenaient l'accumulation de tous les divers endroits où il s'était rendu à pied et de tous les divers objets qu'il avait tenus durant les deux mois précédents, et contrairement à ses cheveux inodores, ils exhalaient un récit coloré de son passé récent. Il inspira profondément à plusieurs reprises afin d'intégrer tout leur contenu et d'en mémoriser l'odeur, puis souleva légèrement le tas de cheveux du journal et glissa les rognures dans l'interstice, de sorte qu'elles étaient cachées sous les cheveux. Tout en maintenant le tas d'une main, de l'autre, lentement, il amena un coin du papier journal par-dessus. Il plia ce coin afin qu'il enveloppe le tas et tira par-dessus le coin d'en face, puis répéta l'opération avec la diagonale opposée, créant ainsi un petit paquet. Il marqua fortement les pliures sur les côtés pour qu'il ne se déplie pas, si bien qu'il ressemblait à l'un de ces ballotins de cendres qu'on distribue aux fidèles à la sortie des grands temples, puis le déposa précautionneusement au sol devant lui. Il contempla un moment ce ballot de matière corporelle inerte, et à voir le tout proprement et soigneusement emballé il se sentit étrangement revigoré, comme si l'élimination de ses cheveux et de ses ongles l'avait libéré de quelque fardeau, intensifiant brièvement son sentiment d'être vivant.

Une brusque fatigue suivit immédiatement ce regain de vigueur éphémère, le balayant telle une vague inopinée qui manqua de le noyer. Il commença à avoir les paupières lourdes, la tête qui tourne. Comme si la coupe de ses cheveux et de ses ongles l'avait affranchi de son pacte avec le monde, il se sentait soudain près de s'endormir. S'il restait assis, c'était ce qui risquait d'arriver malgré lui, il le savait, or Ganga étant seule dans la clairière, il ne pouvait pas courir ce risque, et donc, les dents serrées, il se leva. Ce brusque mouvement vertical accentua son vertige, il dut s'appuyer sur la margelle jusqu'à retrouver l'équilibre. Il restait encore un peu d'eau dans le seau en métal qui reposait avec sa corde déroulée au pied du puits, il en remplit la coupe de ses mains et s'aspergea abondamment le visage. L'eau apaisa ses yeux brûlants et, quelque peu revigoré, il prit appui sur la margelle et plongea les yeux dans le trou. Le puits était relativement large, deux bons mètres de diamètre, mais il était trop profond pour que le clair de lune tombe jusqu'au fond. On ne distinguait l'eau du bas de la paroi que grâce à sa lueur sombre, et sous cette surface lisse et homogène, Dinesh percevait l'attraction puissante du silence et de l'immobilité qu'elle contenait. Sans la quitter des yeux, il tâtonna à la recherche du seau métallique à côté de lui. Réticent à en troubler la surface, il commença malgré tout à descendre le seau en veillant à ce qu'il ne heurte pas la pierre en chemin. La corde glissait lentement entre ses doigts, une main laissant place à l'autre, de plus en plus bas jusqu'à ce que, enfin, le choc du métal contre l'eau lui revienne en écho. Secouant la corde de droite à gauche de façon que le seau bascule, il attendit qu'il se remplisse, le hissa péniblement hors du puits, par-dessus la margelle, et le posa à côté de lui sur la plateforme en béton. Il avait prévu de retirer ses vêtements pour les nettoyer en premier plutôt que de les garder sur lui et de les laisser se mouiller pendant qu'il se lavait, car ce n'était qu'en les lessivant séparément qu'il pourrait les savonner correctement et les faire tremper. Dans quel ordre les laver en revanche, il n'était pas sûr, s'occuper d'abord de sa chemise et ensuite de son sarong, d'abord de son sarong et ensuite de sa chemise, ou simplement des deux en même temps ? Quelque peu nerveux à l'idée d'être entièrement nu, peut-être devrait-il commencer par sa chemise, et après, une fois plus à l'aise, passer au sarong. Il pourrait se doucher ensuite, quand après être resté sur place un moment il serait certain que personne ne surgirait et le trouverait là.

S'accroupissant lentement devant le seau, il déboutonna sa chemise du col vers le bas puis la retira complètement et la plongea dans le seau. L'eau resta claire un instant, puis à mesure que la chemise s'imbibait et s'alourdissait, une suspension nuageuse et argileuse apparut. Il massa le tissu en coton, le malaxa entre les pouces et les index afin que tout ce qui s'y était accumulé parte avec le frottement et se dissolve, toute la sueur séchée, la poussière et le sang. Comme il restait encore beaucoup de place dans le seau, moins nerveux à présent qu'il était de nouveau accroupi, il se délesta de son sarong et de son sous-vêtement, les roula en boule et les laissa tomber dans l'eau. Entièrement nu, il se pencha sur les plantes de pied et frotta, tira, pressa les trois habits, s'évertua à en essorer toute la crasse qui s'était agglomérée dans les interstices et les empesait. Il ne se souvenait plus d'où venait le sarong à carreaux bleus et verts, depuis combien de temps il l'avait, ni s'il l'avait acheté ou si on le lui avait offert. La chemise blanche rayée lui avait été donnée lors de quelque occasion spéciale plusieurs années auparavant, se souvenait-il vaguement, pour la fête de Deepavali très probablement, en revanche quel âge avait-il et que s'était-il passé ce jour-là, il était incapable de le dire. Il souleva la chemise hors de l'eau trouble et pressa doucement entre ses mains une partie du tissu, comme si en laissant ses paumes se toucher à travers les minuscules hiatus de la couture, il eût pu se rappeler plus clairement son histoire. Il ferma les yeux et s'efforça de s'éclaircir les idées. Sourcils froncés, il essaya de se concentrer. Les détails étaient là quelque part, il le savait, mais rien ne lui revenait, ni bruits, ni images, ni odeurs. Il percevait la présence de cette époque dans le passé comme si elle flottait juste de l'autre côté de sa conscience, mais il était incapable de la toucher, comme une personne étirée au maximum sur une échelle dans l'effort désespéré d'attraper une plume qui voltige, mutine, juste hors de portée, et dont toutes les sensations se concentrent sur le barreau autour duquel s'enroulent ses orteils et la tension dans l'extrémité de ses doigts et dans ses bras. Il avait beau faire de son mieux pour essayer de se rappeler l'origine de cette chemise, tout ce qu'il sentait c'était son corps et les choses avec lesquelles celui-ci était immédiatement en contact, l'eau dans laquelle ses mains étaient immergées, le béton mouillé sous ses pieds, et l'air dont les allées et venues permanentes en lui soulevaient et abaissaient sa poitrine.

Il sortit la chemise et le sarong du seau et les étendit sur la margelle du puits, renversa le seau et regarda l'eau épaisse et brune se vider et pénétrer la terre. Il se leva et descendit une fois de plus le seau dans le puits, attendit, impatient dans sa nudité, qu'il se remplisse, puis le hissa et s'accroupit à nouveau. Il prit la savonnette et se mit à en frictionner vigoureusement la chemise, frottant les parties de tissu savonnées avec celles qui ne l'étaient pas de façon que la mousse soit répartie uniformément. Il fit de même avec le sarong et le sous-vêtement, et lorsque les trois habits furent entièrement badigeonnés, il les plongea dans l'eau propre, observant une suspension qui brouillait à nouveau la clarté de l'eau, plus nuageuse cette fois-ci, moins sale qu'avant. En un sens, ce n'était pas étonnant, bien sûr, qu'il n'ait aucun souvenir de l'origine de ses vêtements. Après tout, ce n'était qu'à cause de la demande en mariage du matin et de la cérémonie de l'après-midi qu'il s'était mis à repenser aux événements des mois passés, à se remémorer plus ou moins en détail tout ce qui était arrivé depuis l'évacuation de leur maison. Après s'être mû si longtemps dans un état de stupéfaction, privé de souvenirs, de pensées et de perceptions, pareil à une tortue aux membres complètement rétractés dans sa carapace, comment aurait-il pu s'étonner de ne comprendre absolument rien de ce qui s'était passé encore plus longtemps auparavant ? Certes, des bribes de cette vie lui revenaient occasionnellement, mais juste sous la forme de traces fugitives, d'images silencieuses qui émergeaient de leur propre chef, sans pouvoir être reliées à rien, et qui disparaissaient avant qu'il puisse les reconnaître. Elles ne laissaient derrière elles qu'un vague sentiment de vacuité, telle une maison d'enfance où on retourne des années plus tard et qu'on retrouve entièrement vidée de son contenu, seuls restant des clous à l'endroit où étaient jadis accrochés les tableaux et des zones de parquet plus claires à l'emplacement des anciens meubles. Si quelqu'un lui avait posé des questions précises sur son passé, il aurait probablement été capable de répondre, c'est vrai. Il aurait été capable de nommer avec précision l'endroit où il avait vécu, son village et sa rue, de décrire les membres de sa famille, ce qu'il avait étudié à l'école et comment il occupait son temps libre. Mais, qu'elle qu'eût été la justesse de ses réponses, ses répliques auraient été creuses. Il ne se rappelait plus les visages de sa mère, de son père ni de son frère, plus rien de la routine de leur vie ni de l'humeur dans laquelle ils avaient vécu, et tout ce qu'il aurait pu dire sur cette époque aurait été dénué de substance, comme les silhouettes en noir et blanc d'un album de coloriages. Tout ce qu'il était véritablement en mesure de comprendre en ce moment, c'étaient les huit ou neuf mois qui avaient suivi le début des combats, de même que tout ce qu'il pouvait véritablement espérer ou programmer se limitait aux quelques heures qu'il lui restait chaque jour, et peut-être, de façon anamorphique, aux quelques jours ou semaines précédant ce point virtuel où lui aussi serait tué. De grandes parcelles avaient été rasées de l'hémisphère de son cerveau dédié au passé et de celui dédié à l'avenir, et pour envelopper le petit noyau sensible qui appartenait au présent ne restait que la mince couche du passé récent et de l'avenir proche, laissant Dinesh dans l'impossibilité de recourir au passé ou à l'avenir lointains, qui permettent habituellement aux gens, dans les périodes difficiles, d'ignorer, d'endurer ou du moins de justifier le moment présent.

Au cours de l'un de leurs tout premiers déplacements, Dinesh et sa mère avaient établi leur camp à côté d'une femme dont le fils avait été tué durant l'effort de guerre un an plus tôt, avant le début de l'exode. Venue avec son mari et leur fille de douze ans, elle avait passé la majeure partie de son temps libre dans la tente, à lire la Bible, dont elle psalmodiait les mots dans un murmure grave en se balançant d'avant en arrière. Elle ne devait pas être très âgée, une petite quarantaine tout au plus, et pourtant ses cheveux grisonnaient déjà, elle avait les joues flétries et ses yeux étaient immergés dans un fluide qui semblait constamment menacer de déborder. Elle avait d'abord paru quelque peu agitée en la présence de Dinesh, avait-il remarqué. Elle le dévisageait quand elle croyait qu'il ne regardait pas, et de temps à autre faisait vers lui des gestes impulsifs qu'elle avait le plus grand mal à réfréner, comme si son corps confondait Dinesh avec quelqu'un d'autre et que cette erreur ne pouvait être empêchée qu'au moyen d'un énorme effort mental. Deux semaines durant, Dinesh et sa mère avaient partagé une tranchée-abri avec cette femme et sa famille, et à mesure que sa lutte intérieure s'apaisait et qu'elle devenait plus à l'aise en sa compagnie, il lui arrivait de lui parler de son fils, comme si lui et Dinesh étaient des cousins germains qui n'avaient jamais eu l'occasion de se rencontrer. Il aurait eu le même âge que lui s'il avait été en vie, lui avait-elle expliqué, et tous les deux faisaient à peu près la même taille. Dinesh était peut-être juste un petit peu plus grand, mais son fils avait la peau deux ou trois fois plus claire et était mieux charpenté. Il faisait partie des meilleurs joueurs de netball de son lycée et, même s'il n'avait pas les meilleures notes, il étudiait aussi du mieux possible. Il faisait tout ce qu'elle lui demandait, parfois même avant qu'elle ait besoin de demander, comme s'il s'attelait à répondre à un souhait qu'elle n'avait pas encore formulé. Lors des derniers mois qu'il avait passés chez lui il était devenu irritable, avait raconté la femme à Dinesh en adoptant la voix grave de quelqu'un qui s'apprête à révéler un secret. À cette époque, quand le mouvement passait tous les villages au peigne fin en quête de jeunes recrues, il se disputait avec son père, allant parfois jusqu'à crier. C'était bien naturel, évidemment, qu'il fût contrarié quand ils devaient l'empêcher d'aller au lycée et de voir ses amis, quand il était obligé de passer la journée enfermé à la maison afin de ne pas être vu et enrôlé. Quand les recruteurs venaient dans le village, ses parents le cachaient dans un vieux bidon d'huile enfoui dans le jardin, où il étouffait dans la terre brûlante plusieurs heures durant. À chaque fois son ressentiment augmentait un peu plus et quand, du simple fait de sa frustration, il avait fini par cesser de se cacher et rallier le mouvement, il ne leur avait même pas dit au revoir, il était juste parti un soir sans un mot, à croire que c'était le mouvement et non sa famille qui avait le plus à cœur de défendre ses intérêts. La femme fixait le sol, les yeux plissés, paraissant regarder au loin, puis elle avait levé la tête vers Dinesh avec un sourire mélancolique. Son corps leur était revenu sans vie, certes, mais son fils était encore vivant quelque part, pressentait-elle. Il était vivant et en bonne santé dans un monde supérieur, elle le savait, elle le sentait, il était vivant quelque part, elle en était sûre.

Pendant tout ce temps, Dinesh s'était contenté de hocher la tête, comme pour lui faire comprendre que lui aussi trouvait qu'il s'agissait là d'une croyance raisonnable. Mais malgré la conviction avec laquelle elle s'était exprimée, il n'avait pas pu s'empêcher d'avoir de la peine pour elle, car, semblable à la multitude des gens dans sa situation qui n'arrivaient pas à admettre l'étendue de leurs pertes, elle aussi ne disait probablement que ce qui était indispensable à sa survie. Toutefois peut-être s'était-il trompé en la cataloguant si vite, peut-être s'était-il montré trop condescendant. Peut-être y avait-il dans ce que disait cette femme une part de vérité qu'il n'avait pas été en mesure de voir. Après tout, être proche de quelqu'un ne signifie pas seulement être à côté de lui, ça ne signifie pas seulement avoir passé beaucoup de temps avec lui. Être proche de quelqu'un signifie que le rythme de sa vie est synchronisé avec le vôtre, ça signifie que chaque corps a appris comment réagir instinctivement à l'autre, à ses gestes et à ses manies, aux changements subtils dans la cadence de ses mots et de sa démarche, si bien que tous les mouvements de l'un en viennent progressivement à être en harmonie subconsciente avec ceux de l'autre. Deux personnes véritablement proches sont deux corps parfaitement accordés, chacun étant capable de réagir à l'autre dans n'importe quelle situation sans réfléchir, et parce que cette connaissance est avant tout imprimée dans la mémoire des nerfs et des muscles, dans les mains et les pieds, les lèvres, les joues, les paupières, peut-être ce qu'avait dit cette femme avait-il du sens, peut-être même était-ce vrai. En affirmant que son fils était toujours en vie, tout ce qu'elle voulait dire était qu'elle conservait cette connaissance même après la mort de son fils, qu'elle était enracinée dans son système moteur, vivante en elle et prête à passer à l'action à tout moment, de sorte que si son fils, plus d'un an après sa mort, devait soudain se diriger à grands pas vers la tente où elle préparait du thé, d'abord elle lui sourirait et lui servirait sa tasse et seulement après se figerait et, prise d'angoisse ou d'incrédulité, se demanderait comment son fils décédé pouvait bien être là devant elle. Tout comme on pourrait dire dans le même genre de situation qu'une part de nous est morte alors que physiquement nous sommes indemnes, en entendant simplement par là qu'après le départ d'une personne à laquelle un pan entier de notre vie s'était enté, cette part de nous s'est affaiblie ou atrophiée, tout ce qu'avait voulu dire cette femme était que même si le cœur de son fils ne battait plus elle portait toujours le rythme de sa vie dans ses muscles et dans ses nerfs, et que donc en un sens il était toujours confortablement vivant à l'intérieur de son corps, tout comme il l'avait été avant de naître. Pourquoi en pareils cas les réactions divergent selon les gens, c'était difficile à dire, mais quoi qu'il en soit ce que disait cette femme était en un sens vrai. Et peut-être était-ce aussi valable pour la relation de Dinesh avec sa mère, et aussi avec son père et son frère, et peut-être avec tous ceux qu'il avait connus. Peu importait qu'il ne se rappelât plus leurs visages, leurs voix, ni leurs caractères, car il portait encore tout ce qui comptait à leur sujet dans son corps, ils étaient encore vivants, pas dans un autre monde comme l'avait cru cette femme catholique, mais dans le même monde, simplement sous une forme différente, et cela au moins on pouvait s'en féliciter.

Tout souvenir est amené à s'estomper, évidemment, même les plus intimes du corps. On s'imagine difficilement oublier comment marcher ou comment parler, et pourtant il suffit de passer un certain temps alité pour finir par oublier jusqu'à comment faire un pas, de passer un certain temps sans parler pour finir par oublier jusqu'à comment prononcer une phrase. En général de telles choses peuvent se réapprendre, c'est vrai, et réapprendre n'équivaut jamais à partir de zéro, mais même si cela signifie que ce qu'a appris le corps ne pourra jamais être totalement oublié, que la mémoire du corps ne pourra jamais être entièrement effacée, de telles réminiscences finissent malgré tout forcément par décroître ou vaciller, si bien que même les gens qu'on aimait le plus et dont on était le plus proche se réduiront avec le temps à des fantômes ou à des spectres, visibles en de fugitives occasions dans nos mouvements ou nos gestes, mais le plus souvent absents. Et donc d'une certaine façon Dinesh était chanceux, chanceux d'avoir vu sa mère si récemment, chanceux qu'elle fût encore fraîche sous sa peau. D'une certaine façon il serait chanceux même s'il devait mourir bientôt, car contrairement à ces enfants des pays normaux qui vivent encore plusieurs décennies après la mort de leurs parents, son corps n'oublierait pas la mère avec laquelle il avait passé toute sa vie, par les mains de laquelle, enfant, il avait été lavé, nourri et habillé, frappé certains jours, caressé à d'autres, en compagnie de laquelle il s'était tellement habitué à vivre qu'il lui arrivait parfois d'oublier qu'elle était à ses côtés, se sentant en sa présence aussi seul avec lui-même que quand il l'était physiquement, comme s'ils étaient une seule et même personne, car après tout quelle raison y a-t-il à affirmer qu'il y a plus d'une personne dans une pièce quand ce sont les mains de l'un qui nourrissent la bouche de l'autre, quand les mots prononcés par l'un font se fendre d'un sourire les lèvres de l'autre, quand tout le travail quotidien de chacun est pour le bien de l'autre, quelle raison y a-t-il à nier que ces corps distincts ne sont pas des entités différentes mais deux organes d'un même organisme ? Il avait passé suffisamment de temps sans sa mère pour oublier à quoi elle ressemblait et les inflexions de sa voix, il s'était habitué à n'avoir personne dont s'occuper ni qui s'occupe de lui, mais il n'y avait nul besoin d'être triste, il le savait, car elle était encore fraîche à l'intérieur de lui, bien au chaud, en sécurité.

Il sortit le sarong de l'eau pour voir si le savon s'était dissous, mais il avait dû l'appliquer avec un peu trop de vigueur, car il restait encore des paillettes jaunes incrustées dans le tissu. L'eau était tellement savonneuse qu'il sentait ses doigts glisser l'un contre l'autre, et après l'avoir vidée il refit descendre le seau dans le puits et le laissa se remplir à nouveau. Alors qu'il frottait les deux tissus l'un contre l'autre dans l'eau propre, les tordant et les retordant pour dissoudre le savon, il remarqua que ses yeux avaient gonflé, qu'il y avait de l'humidité au coin de ses cils chaque fois qu'il clignait. Depuis combien de temps s'évertuait-il vainement à faire monter les larmes, il n'aurait su dire, mais ses joues le brûlaient légèrement d'avoir été aussi tendues, et nul doute que s'il continuait ainsi il se mettrait tôt ou tard à pleurer. Les gouttes d'eau salée sécrétées par ses canaux lacrymaux lui semblaient n'être que l'infime partie visible d'un vaste lac enfoui quelque part au plus profond de lui, contenu par un barrage gigantesque, où apparaît soudain une minuscule voie d'eau muette, et il n'avait probablement qu'à continuer à réfléchir sur lui et tout ce qui lui était arrivé récemment pour qu'il cède. Il ouvrit les mains et laissa les habits flotter dans l'eau, ferma les yeux et essaya de se ressaisir. Voilà longtemps qu'il n'avait pas pleuré. Ce serait probablement agréable, ça pourrait peut-être même lui permettre de se rappeler le passé qu'il s'était efforcé de comprendre, mais tout bien considéré mieux valait qu'il attende encore un peu. Il était venu au puits dans le seul but de se laver, et encore, uniquement pour que Ganga le considère d'un autre œil, qu'elle l'admire, voire qu'elle soit attirée par lui. C'était la seule et unique raison pour laquelle il l'avait laissée seule dans la clairière, or il s'était déjà absenté trop longtemps. S'il se mettait à pleurer maintenant il serait difficile de s'arrêter, comme quand on pisse, qu'on chie ou qu'on raconte une histoire, une fois qu'on a commencé à pleurer, il est désagréable de s'arrêter. De toute façon il se sentirait moins vulnérable s'il pleurait dans la clairière ou aux alentours, où il pourrait prendre son temps sans avoir à s'inquiéter d'être vu ni entendu. Si Ganga dormait encore, il pourrait même pleurer juste à côté d'elle, dans le doux silence plein de sollicitude de son sommeil. Il n'était plus guère inquiet d'être nu à côté du puits, mais pleurer comportait un degré de vulnérabilité supérieur au simple fait de se laver ou d'être nu, sans compter qu'il était trop gêné pour se laisser aller à pleurer dans un lieu aussi public que celui-là. La zone était trop ouverte, or il avait besoin d'être barricadé pour pleurer, le plus loin possible des autres et dans un lieu le plus clos possible. Évidemment, il se pouvait que son envie le quitte s'il attendait trop, que même s'il ressayait plus tard la sensation ne viendrait pas et qu'il serait incapable de pleurer, mais il n'avait pas le choix, il le savait, il devait retourner à la clairière le plus vite possible.

Il pressa fermement les habits dans l'eau une dernière fois, puis vida l'eau sur le béton. Il aurait pu les rincer une fois de plus mais c'était inutile, car s'il restait encore du savon il durcirait au séchage des vêtements, voire les parfumerait légèrement pendant un temps. Retirant le sarong du seau il l'étira entre ses mains et le tordit de façon à essorer l'eau. Il lui imprima une torsion dans un sens puis dans l'autre, regarda l'eau tomber du tissu d'abord abondamment puis en gouttes opiniâtres. Il porta le sarong à son visage pour en humer la nouvelle odeur de citron vert et, en sentant la chaleur et la fatigue de sa peau contre le tissu froid et lavé de frais qui jusqu'à tout récemment avait été aussi crasseux que lui, il ressentit une vague excitation à l'idée de la transformation que son corps allait à son tour subir. Il déroula le tissu entortillé et l'étendit à cheval sur la margelle du puits. Le temps de finir d'extraire toute l'eau de sa chemise et de son sous-vêtement et de les suspendre à leur tour, il avait les mains et les pieds trempés, le torse moucheté de gouttes. Il se leva et descendit le seau dans le puits. Il attendit qu'il se remplisse, le remonta par à-coups énergiques puis le posa sur le bord de la margelle. Sur la plateforme à côté du puits se trouvait un petit bol en plastique, il le remplit au seau et se pencha lentement vers ses pieds. Il hésita un instant, car une fois qu'il aurait commencé il ne pourrait pas s'arrêter à mi-chemin, il le savait, puis renversa doucement l'eau sur ses chevilles et ses tibias. Il voulait commencer par les extrémités afin de s'acclimater au froid, mais de fait l'eau était d'une tiédeur agréable, presque chaude, ce que bizarrement il n'avait pas remarqué en lavant ses vêtements. Il remplit le bol et renversa l'eau sur son cou et ses épaules, sentit l'humidité chaude couler lentement le long de la pente poussiéreuse de son dos. Reposant le bol, il s'empara du seau qu'il brandit au-dessus de son cou et, l'inclinant légèrement en veillant à ne pas laisser les éclaboussures faire trop de bruit, il laissa l'eau se vider en un flot mesuré et régulier sur son corps. Elle se déversa sur sa poitrine, son ventre et ses flancs, poursuivit sur son entrejambe et longea lentement l'arrière de ses cuisses, mouillant sa peau croûtée de sang, tachée de sueur, teintée d'argile. Levant le seau au-dessus de sa tête il laissa l'eau tomber sur son visage et ses cheveux gras, couler sur sa nuque puis jusqu'au creux de ses reins, à l'intérieur de ses cuisses, et la laissa goutter entre ses orteils et lui chatouiller la plante des pieds tandis qu'elle s'écoulait du béton pour pénétrer la terre, brunie par le sang et la crasse de plusieurs semaines. Il fit courir ses mains sur sa silhouette maigre et humide, caressa les contours de sa poitrine et de son torse maigres, comme s'il se rendait compte pour la première fois qu'il était en possession d'un corps. Il laissa tomber le seau une fois de plus dans le puits, le hissa péniblement et déversa à nouveau lentement l'eau sur lui, pour que pas un centimètre de peau ne reste sec, pour que, le temps de la douche, l'enveloppe un cocon tiède d'eau courante.

Il remplit encore une fois le seau, le reposa par terre et s'accroupit à côté. Reprenant le bol de la main gauche, il se mit à vider l'eau par petites quantités sur son corps tout en se frottant méticuleusement de la main droite. Il commença par les pieds, récurant avec l'index la zone légèrement chatouilleuse entre les orteils, grattant à l'aide de ses ongles nouvellement coupés les plaques juste en dessous des malléoles, où la crasse s'était greffée solidement à la peau. Il remonta sur les mollets et les genoux, frictionnant les poils des jambes afin que la poussière incrustée se dissolve, remonta jusqu'à la zone entre les testicules et l'intérieur des cuisses. Couche après couche la saleté s'amalgamait en petits plis et tombait de sa peau humide à mesure qu'il frottait, couche après couche elle tombait de ses flancs, de ses aisselles et de son cou, de l'intérieur de ses coudes et de ses poignets. Il se massa les cils et le coin des yeux pour faire partir le sommeil qui s'y était concentré et frictionna le début de barbe sur son menton et sa mâchoire que la sueur sèche et la saleté avaient raidi. De l'index il décapa la peau derrière les lobes, puis en palpant tous les sillons de ses oreilles essaya d'enlever le cérumen qui s'y était accumulé. Un doigt enfoncé dans le nombril, il retira toute la matière qui s'y était formée puis, après s'être humidifié les fesses, décrocha tous les petits bouts de merde qui avaient durci sur les poils de la raie. Ensuite de la main gauche il se décalotta et avec le pouce et l'index droits frotta doucement le gland, massant la couche superficielle couleur crème afin qu'elle ramollisse et qu'elle tombe, mettant à nu la roseur en dessous. Après avoir de nouveau rempli le seau, il se versa l'eau tiède sur le corps, lentement, de façon que toute la terre et la crasse qu'il avait détachées sans les retirer tombent, de ses orteils, de ses chevilles, de son cou et de ses bras, si bien que sa peau lui semblait être à l'état brut et nouvellement propre, comme en contact avec l'air pour la première fois. Il ramassa la savonnette et commença à s'enduire de mousse en remontant à partir des pieds, prenant plaisir au contact glissant du savon sur sa peau. Il rinça toute la mousse qui s'était formée sur son corps, puis se shampouina rapidement les cheveux, une fois, puis une autre, car ses cheveux étaient trop gras la première fois pour mousser. S'inondant encore une fois d'eau tiède, il agita bras et jambes, secoua violemment la tête de droite à gauche de façon à évacuer toute l'humidité de ses cheveux et, fourbu, s'accroupit dos à la margelle lisse et humide du puits.

Un profond silence envahissait l'espace environnant. Une morne lumière argentée tombait uniformément du ciel, tour à tour brillante ou terne au rythme du passage des nuages sous la lune. Devant lui le contour des taillis et des arbres était net et précis, chaque brin d'herbe paraissait effilé comme une lame : le monde alentour semblait une photographie qu'on venait de fixer dans sa solution. Des gouttes d'eau perlaient à la pointe de ses cheveux et tombaient sur ses épaules. Elles roulaient au sol tandis que son corps séchait lentement à l'air frais, et il frémit imperceptiblement au contact des caresses du vent sur sa peau mouillée. Il passa les bras autour des genoux pour se réchauffer, rentra la tête dans les épaules et contempla son pénis flasque qui pendait mollement entre ses jambes. Son sexe était frais et propre à présent, purifié de l'odeur du labeur. Toute la saleté et la peau morte qui avaient recouvert son corps, tous les gravats et les débris avaient enfin été évacués, le laissant tendre et nu, comme une graine chaude et vivante. Il était enfin retourné à lui-même, il n'était désormais constitué de rien d'autre que de lui-même, nulle matière morte ni étrangère, juste une substance vivante qui respirait, poreuse et nue. On aurait dit que grâce au nettoyage de tout ce substrat qui s'était incrusté dans son corps durant les derniers mois, il s'était libéré de l'emprise du passé récent, que ses souvenirs, liés à la crasse de ses cheveux, de ses ongles et de sa peau, étaient partis, que tout ce qui était arrivé pouvait être oublié, le présent enfin libre de revêtir un autre sens, sa nouvelle peau brute enfin prête à accueillir de nouveaux souvenirs et une nouvelle vie.

6

Quand Dinesh pénétra dans la sécurité de la jungle au nord-est du camp, il se mit à ralentir, jusqu'à arriver à la clairière où il s'arrêta en lisière et resta un instant immobile dans l'obscurité. Dans la densité du silence alentour il entendait sa poitrine s'ouvrir vite et se contracter. Des lignes de sueur s'étaient formées sur sa lèvre supérieure, entrecroisées dans ses sourcils, et sur tout son corps la transpiration se mêlait inconfortablement avec l'humidité qui imprégnait encore sa peau lavée de frais. Le trajet du retour avait été rapide. Il ne l'avait pas remarqué au début, mais cette toilette l'avait empli d'une étrange vigueur, d'un désir de se servir de son corps de manière aussi active et aussi décidée que possible, si bien qu'en pensant à Ganga quand il avait longé tous les dormeurs du camp, à sa poitrine qui se soulevait et retombait tandis qu'elle était allongée là sur son lit, il s'était rendu compte qu'il se dirigeait vers sa destination à grandes foulées pressées. Certes il était physiquement plus faible qu'à n'importe quelle autre période de sa brève vie d'adulte, ses bras et ses jambes étaient beaucoup plus maigres qu'avant, son bassin et ses côtes se dessinaient nettement à travers sa peau, mais en traversant le camp, bizarrement il s'était senti fort, ou si ce n'était exactement fort, du moins capable de force. Il avait eu envie de rentrer en courant et d'enlacer Ganga, d'enfermer tout son corps dans ses bras et de lui faire savoir qu'elle pouvait être vulnérable en sa présence, qu'il prendrait soin d'elle et veillerait à sa sécurité. Une fois qu'elle aurait compris ça, tout changerait, pressentait-il, elle s'ouvrirait à lui et l'accepterait, elle n'aurait plus d'inquiétudes à être mariée avec lui, elle aurait même soif d'être avec lui, et sous l'impulsion de cette idée il était allé de plus en plus vite, s'empêchant de courir uniquement pour éviter de réveiller quelqu'un ou d'attirer inutilement l'attention, de plus en plus vite comme si tout ce à quoi il avait secrètement aspiré l'attendait fiévreusement là-bas dans la clairière.

Par le passé aussi, de temps à autre, Dinesh avait ressenti un sentiment semblable de possibilité. En certaines occasions ce sentiment avait été suscité par des événements qui semblaient importants, du moins à l'époque, la réussite d'un examen pour lequel il avait beaucoup révisé, par exemple, mais la plupart du temps il avait été suscité par de menus détails vite oubliés, comme un regard jeté par une fille croisée dans la rue. Qu'était-ce au juste qui provoquait ce sentiment, c'était difficile à dire, mais il en pressentait toujours l'arrivée par une sensation d'ouverture dans sa poitrine, d'abord minime, puis de plus en plus large, jusqu'au point de rupture, comme si sa cage thoracique retenait quelque chose qui jaillirait bientôt et balaierait la terre. Il contemplait alors d'un œil incrédule son environnement devenu aussi net qu'une lame de rasoir, il avait l'impression bizarre d'avoir été sorti de son milieu, extrait de la petite portion du monde dans laquelle il avait été absorbé, comme si on lui avait fait prendre conscience, un bref instant, de l'existence d'un monde plus vaste et plus indépendant de lui, un monde qu'il avait l'opportunité, d'une certaine façon, d'embrasser dans son intégralité. Comment aurait-il pu s'y prendre concrètement, il n'en avait jamais eu la moindre idée, inutile de le préciser, rien de ce qu'il aurait pu véritablement faire lors de tels moments n'avait jamais semblé correspondre à ce qu'il ressentait, aucune action à sa portée n'avait jamais complètement traduit ni alimenté ce but. Il aurait fait tout le tour de la terre en courant sans s'arrêter, s'il avait pu, assez vite pour réunir le monde entier dans ses bras, il aurait creusé le sol jusqu'au centre de la terre, s'il avait pu, mais à l'évidence son corps était trop lourd, trop pesant, ses bras et ses jambes incapables d'effectuer les mouvements nécessaires. Il avait beau se démener pour trouver une activité qui lui aurait permis de s'exprimer lors de tels moments, il restait toujours démuni, en conséquence de quoi ce sentiment de possibilité qui l'avait envahi commençait lentement à refluer, jusqu'à ce qu'il retourne avec une triste fatalité à son petit monde ordinaire, ne gardant qu'une lueur évanescente de ce possible qu'il avait brièvement ressenti.

Il palpa le tronc lisse de l'arbre le plus proche de lui, se pencha afin de sentir la fraîcheur de l'écorce contre sa joue. Cette fois il avait eu une idée de ce qu'il pourrait faire : retrouver Ganga, l'enlacer, lui montrer ses sentiments pour qu'elle l'accepte enfin, mais maintenant qu'il était à la lisière de la clairière, avec ses vêtements qui ne gouttaient plus mais qui, encore humides après leur lessivage, pendaient lourdement à ses épaules et à sa taille, lui collaient au dos et aux jambes, il commençait à se dire que son plan n'était pas réaliste, que ce ne serait peut-être pas possible du tout. Derrière les fougères il percevait la présence toujours un peu étrangère de Ganga, qui imprégnait celles plus reconnaissables du rocher, du lit de terre et de la bordure en galets et en pierres. Comment allaient-ils interagir après avoir été séparés si longtemps ? Parviendraient-ils à reprendre leur mariage au point où ils l'avaient laissé, ou devraient-ils recommencer de zéro ? Ganga dormait probablement encore, mais il y avait de grandes chances qu'à son réveil elle ne soit pas d'humeur à l'écouter, il y avait de grandes chances qu'elle soit de nouveau trop contrariée ou distante pour parler. Il y avait de grandes chances que la présence de Dinesh et ses tentatives de communication l'agacent, comme elle avait été agacée quand ils s'étaient rendus à la clairière après leur mariage, et quand bien même elle ne serait pas contrariée, lui accorder de l'attention ne l'intéresserait probablement pas de toute façon, qu'il fût propre ou non. Et de toute manière, dans l'hypothèse où ils parviendraient à conserver le petit degré de compréhension qu'ils avaient atteint durant les quelques heures de veille qu'ils avaient passées ensemble, comment serait-il capable, étant donné leur situation, de partager avec elle ce qu'il voulait ? C'était comme si pendant tout ce temps il avait oublié que la mère et le frère de Ganga étaient morts seulement deux semaines auparavant, que son père venait juste de l'abandonner. Même si contrairement à un peu plus tôt elle se montrait dorénavant encline à discuter, comment serait-elle en état de comprendre les sentiments qu'il voulait exprimer, et dans tous les cas, pour commencer, que pourrait-il bien dire ?

Un souffle d'air balaya la canopée, les feuilles autour de la clairière frémirent brièvement. Dinesh lâcha la branche qu'il avait machinalement empoignée et s'étira avec une grande inspiration afin d'essayer de se décontracter. Peut-être son angoisse n'était-elle pas vraiment liée au contexte dans lequel Ganga et lui s'étaient mariés. Peut-être était-ce de fait un sentiment naturel, normal, quelque chose qui l'aurait affecté même s'ils s'étaient rencontrés dans la vie ordinaire. Peut-être cela n'avait-il rien à voir avec le fait que tous deux avaient été séparés de leur famille et de leur maison, coupés de tout ce qui leur avait jadis appartenu, unis sans véritable raison alors qu'autour d'eux les bombes tombaient dru et que des morceaux de corps étaient éparpillés ici et là pareils à des bâtons et à des pierres dans la poussière. Peut-être son angoisse n'était-elle pas très différente de ce qu'il ressentait il y a fort longtemps au lycée, quand pour une raison ou une autre il avait l'opportunité de parler à l'une des jolies élèves du lycée de filles voisin, peut-être ce qu'il ressentait n'était-il que la nervosité normale et naturelle d'un garçon qui s'apprête à retrouver une fille.

Il inspira de nouveau profondément et avança de quelques pas dans la clairière. Veillant à ne pas marcher sur les plantes les plus grosses, il se dressa sur la pointe des pieds et essaya de discerner le lit par-delà les fougères qui le cachaient. Allongée sans bruit, baignée dans la lumière bleue qui tombait à travers une brèche dans la canopée, se trouvait Ganga. Elle n'occupait qu'une toute petite portion du lit, la joue pressée contre le sari qu'elle avait étendu un peu plus tôt sur le morceau de bâche, le bras gauche rejeté derrière la tête. Si changement il y avait, c'était qu'elle était plongée dans un sommeil encore plus profond qu'au départ de Dinesh : il était fort probable qu'elle n'eût pas remarqué son absence. Il y avait toujours un risque qu'elle se réveille à son approche, bien sûr, alors mieux valait qu'il trouve un moyen d'expliquer d'où il venait. Il pourrait raconter qu'il avait eu besoin d'uriner et qu'il n'était pas parti très longtemps, cela dit elle pourrait remarquer que ses vêtements étaient humides et beaucoup plus propres qu'avant, et aussi que Dinesh sentait à présent le citron vert. Peut-être pourrait-il simplement avouer s'être lavé, mais en expliquant que c'était à une pompe proche et non pas tout là-bas à la clinique. Restait à déterminer s'il valait mieux avouer s'être servi du savon et de la paire de ciseaux ou plutôt les reposer discrètement dans le sac et faire mine de n'avoir jamais rien sorti du tout, mais, ne voulant pas que ces problèmes lui pèsent alors que Ganga n'était enfin plus qu'à un mètre devant lui, il prit une nouvelle inspiration, fit quatre grands sauts pour enjamber la végétation et s'arrêta devant l'oreiller. Ganga remua légèrement et ramena son bras tendu sous l'épaule. Les yeux toujours clos, elle fronça les sourcils comme pour signifier sa surprise ou son objection, puis après avoir cligné plusieurs fois, commença lentement à soulever les paupières. Elle regarda d'abord les pieds de Dinesh, qui se trouvaient dans l'alignement de sa tête, puis remonta vers ses cuisses, puis à son visage. Elle le dévisagea un moment, l'air vaguement perplexe, comme si elle n'arrivait pas à le reconnaître. Dinesh se mit à craindre qu'elle ait complètement oublié leur mariage, mais alors qu'elle se redressait un peu et contemplait le sari sur lequel elle était allongée, le sac et la batterie de cuisine posés juste derrière ses pieds, et les arbres tout autour, la remémoration se dessina lentement sur ses traits. Elle reporta son attention sur Dinesh.

Où vas-tu ?

Elle avait posé cette question relativement fort, comme si, bien qu'elle sache où elle se trouvait, elle n'avait pas encore conscience de l'heure qu'il était.

Nulle part, murmura Dinesh en baissant la voix pour lui signifier qu'ils ne devaient pas parler trop fort. J'avais besoin d'aller aux toilettes.

Il retira ses tongs et s'accroupit au pied du lit. Ganga recula les pieds, pour garder une certaine distance avec lui ou lui faire de la place. Elle alla s'adosser au rocher en se trémoussant et se mit à se frotter les yeux afin d'en chasser le sommeil.

Désolé de t'avoir réveillée. J'ai essayé de ne pas faire de bruit.

Ganga continuait à se masser les yeux dans un lent mouvement circulaire. Elle hocha vaguement la tête pour indiquer qu'il n'était pas nécessaire de s'excuser, puis se mit à se pétrir le front et les joues avec les pouces.

Tu dormais bien ? Tu devais être fatiguée, tu t'es endormie dès notre retour du camp.

Ganga remonta les jambes et haussa les épaules.

J'imagine.

Elle s'étira et laissa échapper un petit bâillement, puis joignit soigneusement les mains sur les genoux et contempla l'obscurité de la jungle devant elle. Accroupi en équilibre instable au pied du rocher, Dinesh l'étudiait. La cambrure de son dos était gracieuse en dépit du fait qu'elle venait de se réveiller et elle avait les yeux grands ouverts. Elle regardait fixement un point parmi les arbres, comme si elle réfléchissait à quelque chose ou essayait de se rappeler quelque détail. Il ne devait guère être plus de minuit ou une heure, et pourtant elle ne semblait pas avoir l'intention de se rendormir. Elle ne devait pas avoir dormi plus de deux ou trois heures au total, il n'aurait pas été absurde qu'elle ait besoin de davantage de sommeil, mais peut-être que trois ou quatre heures lui suffisaient pour entamer au moins un peu son épuisement, peut-être que maintenant qu'elle était réveillée elle voulait le rester pour lui parler.

Tu as soif ?

Ganga le regarda, légèrement surprise, puis hocha la tête. Dinesh se tourna vers le sac beige, s'agenouilla et, penché au-dessus, ouvrit la glissière du compartiment principal. Faisant mine de chercher la bouteille en plastique qu'il avait repérée quand il avait fouillé un peu plus tôt dans la soirée, il sortit le plus discrètement possible de sa poche de chemise le savon et les ciseaux, pas juste le savon et les ciseaux, mais aussi le petit paquet contenant ses cheveux et ses ongles, et, après avoir ouvert la fermeture à glissière de la poche latérale, les y déposa furtivement. Il sortit ensuite la bouteille du compartiment principal, se retourna vers Ganga et la lui présenta comme si de rien n'était. Elle hésita un instant avant de tendre la main pour s'en saisir, et Dinesh se rendit alors compte de son erreur. En un sens, maintenant qu'ils étaient mariés, c'est sûr, il avait le droit d'ouvrir lui-même le sac de Ganga, mais l'ouvrir devant elle sans lui demander la permission faisait néanmoins l'effet d'une agression, comme un refus de lui reconnaître la primeur de sa relation à cet objet. Il se demandait quoi dire pour s'excuser ou s'expliquer, mais avant qu'il puisse prononcer une parole, Ganga se pencha en avant sans un mot et lui prit la bouteille des mains. Elle dévissa le bouchon avec ses longs doigts gracieux, leva la bouteille, l'inclina de façon que le goulot soit au-dessus de sa bouche sans toucher ses lèvres, et laissa un filet d'eau tomber délicatement sur ses dents et sa langue, descendre doucement dans sa gorge. Elle baissa la bouteille, la releva, but une autre gorgée, puis revissa fermement le bouchon sur le goulot. Elle la posa ensuite à sa droite, jeta de nouveau un œil à Dinesh, puis regarda ses genoux.

Au lieu de retourner s'asseoir à sa place, accroupi, Dinesh recula vers le rocher et s'y adossa à moins d'un mètre à gauche de Ganga. Il était difficile d'en avoir la certitude, mais elle ne semblait pas tant blessée ou fâchée par son geste que surprise ou vaguement déconcertée, comme si grâce à ce qu'il avait fait, elle avait pu évaluer la situation dans laquelle elle se trouvait de manière plus concrète que lors de ses premières minutes de réveil. Il y avait un soupçon de tristesse dans ses yeux, mais ce n'était pas forcément différent de ce qu'il avait remarqué avant le mariage, quand il l'avait vue travailler seule à la clinique ou se peigner les cheveux devant la tente de son père, une tristesse qui était probablement moins liée à l'ouverture de son sac ou au fait qu'ils soient dorénavant mariés, pressentait Dinesh, qu'à une déception vis-à-vis de l'état du monde en général.

Il la regarda et parla doucement.

Tu veux te rendormir ?

Elle le regarda. Secoua la tête, puis baissa de nouveau les yeux sur ses mains.

Je ne dors pas tant que ça. Juste quelques heures, en général.

Dinesh hésita un instant avant de reprendre la parole.

Tu dors la journée ?

Elle secoua la tête.

Tu ne fatigues pas ?

Elle haussa les épaules, les yeux toujours baissés.

Ça dépend. En général, le soir, je suis épuisée d'avoir travaillé à la clinique, alors je n'ai pas de mal à m'endormir. Sinon je ne fatigue pas vraiment. Je n'ai pas travaillé à la clinique aujourd'hui, mais j'étais fatiguée parce que la veille je n'avais pas dormi du tout.

Il y eut un bref silence, mais avant que Dinesh puisse lui demander des précisions, elle leva vite les yeux de ses genoux et se mit à parler.

Tu as dormi, toi ?

Hier soir ou juste maintenant ?

Juste maintenant.

Il secoua la tête.

Non.

Je peux bouger si tu veux dormir un peu, dit-elle en se penchant en avant comme pour se lever.

Non, ça va. C'est difficile pour moi de m'endormir.

Il essaya de réfléchir à ce qu'il pourrait ajouter, légèrement gêné d'avoir fait cet aveu, puis tapota nonchalamment le rocher derrière lui, semblant en souligner la solidité.

Je me suis reposé contre le rocher pendant que tu dormais, alors je ne suis pas fatigué de toute façon.

Ça ne me dérange pas de bouger.

Ça va. Ne t'inquiète pas.

Ganga se laissa retomber contre le rocher et Dinesh, faisant mine de regarder droit devant lui, s'efforça à nouveau de l'étudier du coin de l'œil. Sa queue-de-cheval s'était un peu desserrée pendant son sommeil. Plusieurs mèches de cheveux pendaient négligemment sur ses joues, ils n'étaient plus aussi plaqués qu'avant sur son crâne. Son visage aussi semblait plus souple et plus élastique, surtout quand elle parlait. Ses phrases étaient toujours aussi courtes et elle parlait toujours aussi lentement, avec une sorte d'indifférence, mais l'inertie qui avait caractérisé sa voix plus tôt dans la journée avait disparu, et elle ne s'exprimait plus de manière atone ni lointaine. Dorénavant, tout ce qu'elle disait semblait en quelque sorte plus relié à ses lèvres, à ses yeux et à ses joues, comme si malgré sa tristesse elle était capable de comprendre au moins les mots qui sortaient de sa propre bouche.

Elle se gifla la nuque. Après un long et vigoureux grattage, elle se pencha et se mit à se gratter les chevilles.

Les moustiques t'ont piquée quand tu dormais ?

Elle hocha la tête sans s'arrêter pour le regarder.

C'est le seul problème de cet endroit : la jungle est infestée de moustiques. Dans le camp, au moins, il n'y en a pas.

Si, il y en a aussi. La seule différence, c'est qu'il y a tellement de monde que les moustiques n'ont pas besoin de se concentrer sur une seule et même personne.

Ne sachant trop quoi répondre, Dinesh décala un peu son dos contre le rocher et se focalisa un moment sur la douceur de la mousse sèche et du lichen contre ses reins.

Je me souviens d'avoir vu un margousier près de la limite du camp. Je pourrai aller cueillir quelques fruits pour en brûler les graines, ça les repoussera.

Ganga glissa soigneusement les mains sous ses cuisses et décolla de nouveau son dos du rocher, manifestement trop préoccupée par quelque réflexion pour réagir à ce qu'il venait de dire. Elle contempla un long moment les arbres devant eux, comme si elle pouvait distinguer quelque chose dans l'obscurité, puis se retourna vers Dinesh.

Où vas-tu pendant les bombardements ? Tu restes ici ?

Non.

Il secoua la tête et désigna l'est du doigt.

Il y a un bateau retourné à environ cinq minutes d'ici, un pêcheur qui a dû préférer le traîner jusque dans la jungle plutôt que de le laisser sur le rivage. En général je rampe dessous. Il est assez grand, on tiendrait tous les deux dedans, c'est sûr.

Il est assez solide pour protéger des shrapnels ?

Oui, le bois est très épais. Et les shrapnels posent moins de problèmes dans la jungle de toute façon, à cause de tous les arbres. Mais si tu veux on pourra creuser une tranchée dessous demain, juste au cas où.

On y réfléchira demain.

Peut-être que ce serait le mieux à faire. Je pourrai

m'en charger tout seul demain matin, ce ne sera pas difficile.

Ganga acquiesça d'un hochement de tête, semblant signifier que cette suggestion était pour elle acceptable, voire agréable. Elle repoussa quelques mèches de cheveux qui lui étaient tombées sur le visage puis glissa de nouveau les mains sous ses cuisses. Il y avait un relâchement dans sa façon de bouger son corps qui lui donnait l'air d'être plus à l'aise qu'un peu plus tôt dans la journée, plus détendue, moins sur ses gardes. Dinesh aussi se sentait plus serein, il ne craignait plus de devoir recommencer leur mariage à zéro. C'était comme si, dans le bref intervalle au cours duquel ils avaient été séparés, ils étaient en réalité devenus plus proches, plus compréhensifs ou plus conscients l'un de l'autre. Peut-être quelque affinité profonde se révélait-elle entre eux, peut-être leur nouveau bien-être était-il le signe de quelque compréhension plus ancienne qui avait toujours existé, mais c'était peu probable, Dinesh le savait, car ces possibilités avaient beau être agréables à envisager, la véritable explication n'était probablement pas aussi satisfaisante. Après tout, même dans la vie normale la deuxième rencontre avec une nouvelle personne est toujours beaucoup plus facile que la première, la troisième plus facile que la deuxième et ainsi de suite, même si rien de concret ne change entre ces rencontres. C'est dans leur intervalle que chaque corps assimile la nouveauté et l'étrangeté de l'autre, après tout, son odeur, sa présence, sa façon de parler et son attitude, c'est dans les périodes de séparation que les muscles et les nerfs de chacun se modèlent et s'accordent en fonction de l'autre, si bien que lorsque les deux corps se retrouvent il y a soudain beaucoup moins de gêne et de difficulté. Quand il s'agit de connaître quelqu'un, les moments que l'on passe séparés sont tout aussi importants que les moments passés ensemble, et c'est probablement ce qui expliquait pourquoi les choses étaient plus faciles entre eux à présent, et non parce qu'ils étaient d'une certaine manière faits l'un pour l'autre ou destinés à être ensemble.

Le silence régnait, brisé par le seul doux va-et-vient de leur respiration, celle de Ganga légère et régulière, celle de Dinesh plus pesante et un peu plus rapide. Leurs poitrines ondoyaient doucement en rythme, parallèles, se croisaient à l'occasion quand elles se désynchronisaient, puis revenaient progressivement ensemble. Dinesh essuya les gouttelettes de sueur qui s'étaient formées sur son front et passa la main dans ses cheveux encore frais et humides à cause de la douche. Même s'ils n'avaient fait que s'habituer l'un à l'autre, même si ne plus ressentir de gêne en compagnie de l'autre n'avait rien de remarquable, voire était prévisible, Dinesh ne pouvait malgré tout s'empêcher d'espérer qu'il pourrait s'agir d'une passerelle qui permettrait l'échange de quelque chose de plus profond et de plus intime.

Il se rapprocha un peu de Ganga et s'inclina vers elle, si bien qu'une trentaine de centimètres seulement les séparaient.

Tu travailles tous les jours à la clinique ?

Ganga lui lança un regard fugitif puis baissa de nouveau les yeux.

Presque. Chaque fois que je peux.

Je t'ai vue là-bas une ou deux fois. Moi aussi j'y suis allé aider quelques fois, mais juste après les bombardements, pour aider à déplacer les blessés. Je ne me vois pas travailler à la clinique tous les jours. Ça doit être difficile, non, avec tout ce sang et le reste ? Tu dois être quelqu'un d'altruiste.

Ganga dégagea ses mains de sous ses cuisses et les joignit une fois de plus soigneusement sur les genoux.

Je ne vais là-bas que pour mon bien à moi, répondit-elle sans lever les yeux. C'est bon d'avoir quelque chose à faire, n'importe quoi, c'est mieux que de devoir attendre.

Tu vas là-bas pour te distraire ?

Ganga ouvrit la bouche pour répondre, puis se ravisa. Dinesh attendit qu'elle s'exprime, mais dans le silence qui suivit elle ne fit que pencher la tête sur le côté et continua à contempler ses mains, pas comme si elle n'avait pas entendu ce qu'il avait dit, mais comme si sa question n'en avait pas vraiment été une, ou comme si son silence était une réponse en soi. Ses lèvres restèrent entrouvertes un moment puis se refermèrent, et, se penchant sur la droite, elle ramassa un des galets de la bordure du lit et se mit à le faire rouler sans bruit sur sa paume.

Dinesh mourait d'envie de parler. Il voulait réagir à son silence en l'acceptant, d'une certaine manière, et en montrant qu'il comprenait tout ce qu'il renfermait, mais l'idée de le troubler par des paroles semblait quelque peu déplacée. Il y avait déjà eu du silence entre eux, évidemment, quand ils étaient restés cloués sur place après la cérémonie de mariage, quand ils étaient restés assis l'un à côté de l'autre pour la première fois dans la clairière, et quand ensuite ils avaient mangé ensemble dans le camp, mais ce silence-là semblait étrangement différent. Le précédent avait été celui qui existe entre des personnes qui vivent dans des mondes distincts. C'était le silence qui existait entre tous les gens du camp, le silence entre deux personnes séparées par un simple mur de pierres polies. En revanche, le silence actuel les reliait au lieu de les séparer, c'était un silence qui chargeait l'air entre eux, si bien que le moindre mouvement de l'un était aussitôt perçu par l'autre, si bien que leurs deux corps étaient comme en apesanteur dans quelque région hors du temps.

Au-dessus d'eux le ciel s'éclaircit au moment où une lourde masse de nuages quitta la lune, illuminant tout ce qui jusqu'alors avait été dissimulé par l'obscurité. Le tissu bleu et violet du sari luisait faiblement sous eux, et devant se devinaient les verts sombres des fougères et les gris et les bruns des arbres.

Moi aussi c'est pour ça que je vais à la clinique, murmura Dinesh. Même si on ne parle à personne, c'est agréable de temps en temps de voir d'autres gens et de bouger.

Ganga conserva la même expression mais elle cessa de faire rouler le galet, qui gisait inerte au cœur de sa paume. Elle le contempla calmement, puis le reposa à sa place sur la bordure décorative du lit, qu'elle désigna en regardant Dinesh.

C'était déjà là, ça ?

Comment ça ?

Est-ce que toutes ces pierres étaient disposées comme ça avant que tu viennes ici ?

Il secoua la tête.

C'est moi qui les ai mises là, pour faire une bordure. L'idée m'est venue quand j'enlevais toutes les pierres et les cailloux enfoncés dans la terre.

Ganga désigna le monticule de terre à la tête du lit.

Ça aussi, c'est toi ?

Il hocha la tête.

Je l'ai sculpté dans la terre, pour m'en servir comme oreiller.

C'est bizarre d'avoir mis tout ce soin à faire un espace de sommeil alors que tu n'arrives pas à t'endormir.

Dinesh contempla Ganga un moment, puis leva la tête vers les arbres à la lisière de la clairière. Le ciel s'assombrit : des nuages traversaient une fois de plus la lune, et les arbres et tout le reste autour replongèrent dans des nuances indiscernables de noir et de bleu nuit.

Il y eut de nouveau un silence rompu seulement par leurs souffles, qui semblaient s'être quelque peu accordés, celui de Ganga un tantinet plus rapide, un tantinet plus pesant, celui de Dinesh un tantinet plus lent, un tantinet plus doux. Le bourdonnement discret d'un moustique vibra au-dessus de leurs têtes avant de se fondre dans l'obscurité.

Pourquoi n'arrives-tu pas à t'endormir ?

Dinesh jeta un œil à Ganga, qui le regardait d'un air interrogateur, puis reporta vite son attention sur les arbres.

Je ne sais pas. Je m'allonge et je ferme les yeux, mais pour je ne sais quelle raison je n'arrive pas à dormir.

Tu n'arrives pas à t'endormir du tout ?

Dinesh sentait le poids de son regard inquisiteur, mais

il fit de son mieux pour garder les yeux rivés sur les ténèbres devant lui. Non qu'il craignît qu'en croisant son regard Ganga se rendrait compte à quel point les mois qui venaient de s'écouler l'avaient affecté, car il y avait de grandes chances qu'elle pût déjà le déduire de son incapacité à dormir et de l'expression honteuse sur son visage. Il pouvait supporter jusqu'à un certain point qu'elle le considère fragile ou handicapé, ce n'était pas agréable mais il n'avait pas le choix, mais ce qu'il ne pouvait pas supporter, c'était de devoir la regarder dans les yeux alors qu'elle échafaudait en même temps de telles pensées, de la même façon, peut-être, que quand quelqu'un ouvre la porte sans prévenir alors qu'on est en train de se changer, il nous est impossible à cet instant, quoique confronté à cette présence immédiate, de regarder l'intrus dans les yeux. Échanger un regard à des moments pareils ne laisse d'autre choix que de se voir à travers les yeux de la personne qui nous regarde, de reconnaître des choses dont on a honte et qu'on était parvenu jusqu'alors à se cacher ou à ignorer, et, dans de telles situations, il est donc impératif, avant même de tenter de couvrir sa nudité, de détourner les yeux. Dinesh baissa la tête et essaya de garder les yeux fixés sur ses genoux.

Non, répondit-il doucement.

Au-dessus d'eux le ciel s'éclaira sans bruit puis s'assombrit de nouveau. Dans le silence qui les entourait, un autre bourdonnement aigu et chevrotant leur frôla la tête. Dinesh sentit un picotement dans la nuque mais ne fit pas un geste, ne voulant pas troubler l'air en levant ne serait-ce qu'une main. Dans le pincement étrangement amplifié de la piqûre de moustique, il percevait vivement l'immobilité du corps de Ganga à côté de lui, comme si elle aussi se sentait obligée de ne pas bouger. Lorsqu'il s'était penché à côté d'elle une heure ou deux seulement auparavant de sorte que son visage n'avait été qu'à une dizaine de centimètres de sa peau, il avait hésité, malgré son envie de parvenir à une certaine compréhension de la personne qu'elle était, à la toucher ne serait-ce qu'une seconde, de crainte qu'elle se révèle irréelle, fausse ou en un sens illusoire. Cependant d'être assis à côté d'elle maintenant lui donnait la certitude, pour la première fois depuis leur rencontre, qu'en tendant le bras pour la toucher il serait vraiment en mesure de sentir la chaleur de sa peau. Le picotement dans sa nuque atteignit son apogée, et le moustique, léger comme l'air, s'envola. Le feu de la piqûre s'apaisa peu à peu, mais Dinesh resta à sa place, toujours figé contre le rocher.

Par le passé aussi il avait ressenti cet étrange désir d'immobilité, pas souvent, mais plus d'une fois ou deux, tard le soir, assis avec ses amis à la périphérie du village, en tailleur par terre, face au ciel bleu tirant sur le noir et à l'horizon rouge déployés au loin. De quoi parlaient-ils lors de tels moments, Dinesh ne se le rappelait plus, mais il arrivait qu'à l'occasion, se souvenait-il, leur conversation ralentît, tout ce qu'ils disaient semblait tourner autour de quelque objet étrangement intangible, d'un endroit ou d'une chose qu'ils percevaient, bien qu'invisible, dans le voisinage. Toutes leurs questions, leurs réponses, leurs pauses et leurs réactions, tous leurs ajouts, leurs atermoiements et leurs développements, leurs moindres affirmations semblaient à des moments pareils une tentative fragile de se rapprocher de cet objet, de sorte que de façon hésitante, intuitive, cahotante, leur conversation semblait tournoyer autour de cet endroit ou chose perçu mais indécelable, s'en approchant de plus en plus, se déplaçant avec une prudence et une nervosité accrues à mesure que les cercles se rétrécissaient, jusqu'à ce que, enfin, avec beaucoup d'appréhension, chacun d'eux entièrement absorbé par ce qui était en train de se passer, il se dît quelque chose qui n'aurait jamais pu être plus proche de ce qu'ils cherchaient. Quand une telle extrémité était atteinte ils le percevaient presque instinctivement, même s'ils n'arrivaient ni à voir ni à toucher ce qu'ils avaient trouvé, comme si ce qu'ils cherchaient depuis le début n'était pas tant un endroit ou une chose qu'une humeur, une humeur qui avait été comprise obscurément dès le départ comme un moyen de se rassembler, un moyen d'arriver à sortir de leurs mondes individuels respectifs pour aller sur un plan où, l'espace d'une seconde, ils pouvaient se reconnaître et se comprendre pleinement. Après les avoir enfin mis en présence de cette humeur, il fallait toujours que de telles conversations, si elles aboutissaient, s'achèvent, atteignent un point où rien ne pouvait être ajouté, où pas même un mouvement ne pouvait être esquissé, car, de même qu'un papillon perché au bout d'un brin d'herbe, avec tant de légèreté que l'herbe sans ployer frémit à peine, ne peut être approché qu'à une certaine distance, sous peine de le voir replier nerveusement ses ailes éthérées d'un geste sec puis prendre ensuite son envol silencieux au moindre soupçon de bruit, une respiration forte ou le craquement d'une articulation, de même ils avaient tous conscience que l'humeur qu'ils avaient si patiemment, avidement, laborieusement recherchée pouvait être amenée, par le plus inoffensif des mots ou des gestes, à leur échapper, les laissant s'échouer une fois de plus chacun dans son monde, chacun seul une fois de plus.

Cette humeur fédératrice ne durait jamais longtemps, bien sûr, elle se dissipait peu à peu ou se voyait crevée ou percée par quelque interruption extérieure, et tôt ou tard la même chose leur arriverait à Ganga et à lui, il le savait, à moins qu'ils ne trouvent un moyen de la conserver, un moyen qui leur permettrait à eux et à l'air entre eux de circuler. Le moindre faux bruit ou faux mouvement risquait de détruire l'équilibre fragile qu'ils avaient établi, de les écarter du monde qu'ils avaient trouvé, mais mieux valait tout de même risquer de le détruire carrément en s'efforçant d'en prolonger l'existence, pressentait Dinesh, que le laisser s'éclipser de lui-même. Sans cesser de retenir son souffle, il se rapprocha un tout petit peu de Ganga, si bien que leurs épaules se frôlaient. Il étendit les jambes pour qu'elles soient parallèles à celles de Ganga, leurs mollets se touchant presque. Il sentait contre son dos droit comme un I cette nouvelle partie de rocher, et sous ses cuisses plaquées au sol le tissu aérien et frais de cette nouvelle partie de sari. Une fois de plus, il était cloué sur place. Il percevait à ses côtés la raideur similaire de Ganga, dont le corps était complètement immobile, encore plus qu'avant si toutefois c'était possible, et dont la poitrine ne s'élevait ni ne retombait plus, comme si elle aussi comprenait l'intention du geste de Dinesh. Ce qu'elle ressentait, il était difficile de le déterminer car, si elle ne faisait rien pour signifier qu'elle avait vu sa manœuvre, elle ne faisait rien non plus pour s'y opposer. Il n'avait pas envie de trop s'approcher d'elle si elle ne voulait pas, il n'avait pas envie de lui imposer quoi que ce soit, et il pouvait toujours reculer s'il voulait, puisque de fait il ne l'avait pas touchée, après tout, et n'avait rien fait qui l'y engageât. Restait cependant la possibilité qu'elle veuille bel et bien qu'il la touche, qu'au cours de la journée elle en soit venue à l'apprécier, qu'elle le considère comme un compagnon plus facile maintenant qu'il s'était lavé, voire séduisant, et plus elle restait juste à côté de lui sans bouger, plus cette hypothèse semblait probable, car après tout elle avait montré de l'intérêt quand ils avaient discuté, elle lui avait posé des questions de sa propre initiative, comme si elle avait vraiment eu envie de lui parler, et donc peut-être la raison pour laquelle elle restait autant figée que lui à présent était-elle simplement qu'elle aussi était paralysée par la nervosité, qu'elle non plus ne savait pas quoi faire.

En voyant du coin de l'œil les mains de Ganga à demi ouvertes face à face sur ses genoux, l'une recouvrant partiellement l'autre, les doigts entrecroisés, Dinesh tendit impulsivement la main droite. Il lui saisit le pouce gauche entre l'index et le pouce et le serra avec une délicate fermeté, comme on tiendrait par le coin une feuille de papier vierge afin de ne pas la salir. L'extrémité du pouce de Ganga, menue, parfaite, resta inerte entre ses doigts. C'était une sensation étrange que d'être en contact avec une chose douée d'une vie aussi autonome, de tenir une chose aussi précieuse complètement immobile dans sa main. Le plus délicatement possible, il la caressa. Il fit courir le bout de ses doigts sur l'ongle lisse et dur, sur la peau gravée des sillons complexes qui formaient l'empreinte du pouce, essaya d'écouter le battement silencieux du sang à travers les minuscules vaisseaux finement reliés sous la surface. Ouvrant ses trois autres doigts, il en couvrit le reste de la main de Ganga, si bien qu'elle était entièrement immergée dans la sienne, puis soudain, à l'instar d'un élastique tendu au maximum qu'on sectionne d'un coup sec, le corps de Dinesh se relâcha. Sans prévenir, comme si l'humeur qu'avait établie leur conversation n'avait plus besoin d'immobilité pour se maintenir, comme si, tel un échafaudage qu'on retire quand le toit entre deux murs a été mis en place, l'air autour d'eux pouvait enfin être troublé, il sentit sa poitrine, contractée depuis combien de temps, il n'aurait su dire, soudain s'affaisser, l'air à l'intérieur de ses poumons soudain refluer. À côté de lui la poitrine de Ganga s'affaissa elle aussi, puis se souleva, et s'affaissa, exactement au même rythme que la sienne, comme si après avoir arrêté de respirer simultanément juste une seconde auparavant, ils pouvaient désormais respirer à l'unisson tant qu'ils restaient en contact.

Dinesh regarda Ganga. Elle avait la tête baissée, il ne put donc déterminer si elle avait les yeux ouverts ou fermés, mais ses sourcils étaient détendus, pareils à des bouées flottant sans bruit sur une mer étale et profonde. Sans la quitter des yeux, il lui pressa un peu la main, afin de s'assurer qu'elle restait bien réelle même après le relâchement de leurs muscles, puis desserra aussitôt les doigts, comme si la moindre pression risquait de la blesser. C'était étonnant de se dire que la main qu'il tenait appartenait au visage qu'il regardait, tellement elle lui paraissait étrange dans sa paume, tellement douce, chaude et menue, à la fois vivante et inerte, tellement différente de la main du petit garçon qu'il avait vu ce matin-là. D'un doigt, il y traça silencieusement une ligne, en partant du pouce et en effleurant la veine qui s'étirait par-delà l'intérieur du poignet. Il suivit le pouls discret le long du bras élancé, remonta la cicatrice qui interrompait une peau lisse comme une savonnette toute neuve, jusqu'à ce que le bout de son doigt descende dans le creux du coude, où il s'arrêta, et ne bougea plus. Ganga garda les yeux fermés, mais, sans un bruit, ses lèvres s'entrouvrirent. Dinesh lui prit les deux mains de la main gauche, leva le bras droit au-dessus de la tête de Ganga, le passa derrière son dos et lui serra doucement l'épaule. Il hésita un instant, puis l'attirant plus près de lui tout en s'approchant d'elle, il maintint leurs corps unis pour que leurs cuisses se pressent l'une contre l'autre et aussi leurs mollets. Au début, elle resta atone, sans réaction, puis elle inclina la tête vers lui pour la poser sur son épaule, ses longs cheveux touchant l'oreille et la joue de Dinesh, repoussant son visage avec le dessus du crâne comme pour essayer de s'enfouir en lui. Dinesh descendit le bras droit de l'épaule de Ganga à ses reins, la paume contre sa colonne vertébrale, puis se pencha en avant et du bras gauche vint se saisir de l'épaule opposée de Ganga de manière à l'enlacer. Il fit glisser sa main droite des reins à la taille, laquelle était si fine qu'il aurait presque pu en faire le tour d'une seule main, et serra un peu plus leurs deux corps, à tel point que même l'arrondi sensible de leurs genoux frottait fermement. Ils se rapprochaient de plus en plus, se serraient de plus en plus, et brusquement le corps de Ganga sembla se plier et basculer en avant, suivi instinctivement par Dinesh, qui relâcha son étreinte sans toutefois lâcher, si bien qu'ils tombèrent ensemble face à face de profil sur le lit, leur tête dépassant d'un rien l'oreiller de terre, le corps pleinement offert à la vue de l'autre pour la première fois, leurs poitrines s'effleurant à peine, leurs tailles aussi et leurs pieds. Dinesh enlaçait toujours Ganga, qu'il avait envie d'attirer plus près de lui de façon à sentir la pression de ses seins à travers la robe, mais leurs têtes presque face à face étaient suffisamment écartées pour permettre un échange de regards, et, bien qu'ils eussent tous deux veillé à l'éviter, lui fixant uniquement son cou et elle uniquement son épaule, cette possibilité seule suffisait à le faire hésiter.

Ils étaient mariés, à présent. En un sens il n'y avait rien de plus naturel pour eux que d'avoir du désir, de vouloir se contenter pour la première fois, cependant était-ce vraiment ce que ressentait Ganga, Dinesh voulait en avoir la certitude. Elle pressait la tête contre lui comme pour se rapprocher, les lèvres entrouvertes et les sourcils détendus comme si elle avait envie de sombrer en lui, mais peut-être se sentait-elle simplement obligée de se comporter ainsi parce qu'il était son mari à présent et elle sa femme. Évidemment il était difficile d'imaginer qu'elle jouait un rôle, elle semblait être une personne bien trop franche pour dissimuler ainsi ses sentiments, mais tout bien considéré ce n'était pas plus difficile à imaginer que l'idée qu'elle fût tout simplement attirée par lui. Il leva la main droite d'un geste hésitant et posa doucement l'index et le majeur sur le bord de sa manche. Délicatement, il lui caressa le bras de l'épaule jusqu'au coude, qu'il délaissa ensuite pour suivre la courbe de la taille avant de remonter sur la hanche. Le corps de Ganga se raidit puis se relâcha. Elle se rapprocha doucement de lui, si bien qu'elle avait les orteils posés sur ses tibias, le haut des cuisses contre les siennes, ses seins doux effleurant sa poitrine. En un sens il n'aurait même pas été contrarié si elle n'avait pas voulu faire l'amour immédiatement, en un sens il aurait même été soulagé, car bien qu'il en eût plutôt envie, bien que ce fût quelque chose qu'il savait devoir expérimenter avant de mourir, il était difficile de savoir s'il en était de fait capable, même si après avoir attendu tant d'années il en avait à présent l'opportunité. Non pas qu'il ne la trouvât pas belle, ni qu'il n'eût aucun désir physique pour elle, car à chaque fois qu'elle inspirait et que sa taille se creusait, il avait envie de resserrer les bras autour d'elle et de se rapprocher, même s'il ne s'agissait pas exactement d'un appétit sexuel, ce désir de se presser contre elle, ou du moins pas complètement sexuel, car même en sentant son souffle chaud sur son cou, ses seins qui respiraient fort contre sa poitrine et son sexe pressé contre le sien, leurs corps simplement séparés par deux fines couches de tissu, il ne ressentait entre ses jambes aucune raideur. Il y avait bien longtemps qu'il n'en avait pas ressenti, certes, pourtant il se rappelait clairement comment par le passé il se sentait souvent durcir inopinément contre l'étoffe de son short, de son pantalon ou de son sarong, comment il devenait non seulement plus lourd mais plus dur et plus raide jusqu'à en avoir presque mal, jusqu'à ce que le reste de son corps semble mou en comparaison, et il se rendait parfaitement compte à présent qu'en dépit de la lourdeur qui était apparue entre ses jambes il n'y avait pour quelque raison obscure aucune raideur.

Ganga ayant passé ses deux bras autour de lui ils s'enlaçaient mutuellement, elle le serrait fort et lui aussi, leurs corps tellement compressés qu'il n'y avait presque pas de place pour pousser ni résister. Les yeux fermés, essayant de se concentrer, Dinesh s'évertuait à se focaliser sur l'ondulation du corps de Ganga contre le sien, sur le soulèvement de sa poitrine et le creusement de sa taille. Il essaya de penser à son dos gracieux, à ses clavicules saillantes, au fait qu'elle avait envie de faire l'amour avec lui, avec lui plutôt qu'avec n'importe qui d'autre, alors qu'elle ne le connaissait que depuis un jour. Il essaya de penser au fait qu'elle était vivante, qu'il y avait du sang qui pulsait dans ses veines sous sa peau, qu'un monde complexe de réflexions et de sentiments subsistait de manière autonome en elle, dont il voulait s'occuper, prendre soin, assurer la sécurité par tous les moyens et, resserrant son étreinte, il tâcha bon gré mal gré de le lui communiquer, de lui faire comprendre qu'il était assez fort, qu'il était prêt à faire n'importe quoi pour répondre à ses besoins. C'était la seule chose qu'il voulait qu'elle sache, si elle le sentait et y croyait alors tout irait bien, il le savait, tout irait pour le mieux, la lourde mollesse entre ses jambes durcirait, et ils pourraient faire l'amour comme un couple marié lors de sa nuit de noces. Redressant légèrement la tête au-dessus du cou de Ganga, il plaça sa tempe contre la sienne et essaya d'écouter, comme si en juxtaposant leurs pouls et en en mesurant les différences de rythme il eût pu découvrir si les pensées de Ganga étaient semblables aux siennes, si oui ou non elle aussi le pensait capable de prendre soin d'elle et si d'ailleurs elle désirait seulement qu'il le fasse, puis fronçant les sourcils alors qu'elle introduisait une jambe entre les siennes, fermant convulsivement les yeux alors qu'elle lui caressait le côté du visage avec le sien, faisant de son mieux pour se concentrer et pourtant incapable malgré tout, alors qu'il appuyait sa tempe contre la sienne, d'obtenir le moindre signe, incapable de glaner quoi que ce fût hormis la dureté de sa tête, la simple présence de son crâne, aussi résistant qu'un mur, il finit par se raidir et resserrer son étreinte afin de lui chuchoter à l'oreille d'une voix légèrement chevrotante.

Tu es contente qu'on soit mariés ?

Ganga arrêta de bouger.

Peut-être n'avait-elle pas entendu. Doucement, il répéta sa question.

Tu es contente qu'on soit mariés ?

Elle recula un peu la tête.

Qu'est-ce que tu veux dire ?

Tu es contente qu'on soit ensemble ici ?

Leurs corps toujours pressés l'un contre l'autre étaient désormais complètement raides. La chaleur moite de la peau de Ganga, en s'évaporant, semblait tout pétrifier.

De quoi peut-on être content ou triste ?

Dinesh relâcha un peu son étreinte.

Les choses arrivent, voilà tout, il nous faut les accepter. Le bonheur et la tristesse sont réservés aux gens qui peuvent contrôler ce qui leur arrive.

Les bras et les jambes de Dinesh retombèrent. Ganga retira lentement sa jambe d'entre les siennes, qu'il sentit aussitôt se regrouper. Entre ses mollets il sentait une pellicule épaisse de transpiration, et sous lui les plis du sari, à présent froissé par tous leurs mouvements. Sa poitrine s'affaissait malgré lui, comme s'il s'essoufflait, et la légère lourdeur qu'avait acquise son pénis se dissipait. Il essaya de nouveau de penser au corps de Ganga, à ses reins et à sa taille qui se creusait, mais son pénis continuait à se rétracter, rapetissant de plus en plus entre ses jambes. Il contracta le muscle profond de l'aine, le muscle dont la contraction provoquait une petite secousse du sexe, dont la contraction effectuée dans de bonnes conditions pouvait conduire, il le savait depuis ses jeunes expériences, à une érection, il contracta ce muscle une deuxième fois, puis une troisième, mais aucun désir ne revint, juste du regret. La respiration de Ganga s'était apaisée et désormais ses bras ne l'enlaçaient que mollement. La seule sensation qu'il avait, malgré tous ses efforts, était un frémissement imperceptible entre ses jambes. Il contracta son muscle une fois de plus et ressentit encore moins que ça, puis encore une fois et ne ressentit plus rien du tout. Le corps complètement mou, comme s'il avait complètement renoncé, il enfouit la tête le plus loin possible dans le refuge du cou de Ganga, dans le petit creux intime entre l'omoplate et le côté du cou, et se mit, sans prévenir, à pleurer.

7

Ce n'est que lorsque ses pleurs se furent atténués en un gémissement puis en un frémissement silencieux que Dinesh commença à discerner le bruit, houleux, tel un appel assourdi ou étouffé, qui leur parvenait d'un endroit proche. Il fut frappé de stupeur, pas tant parce que la jungle autour de la clairière était toujours silencieuse à cette heure de la nuit, comme elle l'était généralement aussi dans la journée, mais parce que ce bruit l'amena à prendre conscience du fait plus global que pendant ce temps, tout un monde avait continué d'exister en dehors de lui. Il avait toujours le visage enfoui dans le cou de Ganga, ils étaient toujours allongés sur le sari qui drapait le lit. Il enlaçait mollement Ganga, Ganga l'enlaçait mollement, les petites bourrasques de vent qui parvenaient à s'infiltrer dans la clairière à travers les arbres alentour soufflaient toujours leur haleine fraîche sur sa peau, mais pendant toute la durée de ses pleurs il avait eu l'impression d'être seul au monde, qu'il n'existait rien d'autre que son corps maigre et son petit pénis fragile qui quelques années auparavant s'allongeait et durcissait malgré lui, occupant parfois plus d'espace qu'il ne lui en avait été alloué, mais qui s'était dorénavant tellement rétracté que Dinesh ne le sentait plus entre ses jambes, tel un membre amputé qui ne fait que paraître encore exister. C'était drôle, en un sens, qu'après tout ce qu'il avait vu et fait, ce fût cette impuissance qui avait fini par déclencher ses larmes. Il ne se rappelait même pas avoir pleuré à la mort de sa mère, il était plus proche d'elle que de n'importe qui d'autre, et pourtant il n'avait probablement même pas versé une larme, alors que bien des mois plus tard la simple incapacité de son pénis à se dresser avait suffi à ce que les canaux de ses yeux se remplissent et que sa pomme d'Adam se rétracte dans sa gorge. Il avait su qu'il n'aurait pas dû céder à l'envie qui le submergeait, qu'il aurait dû se contenir au moins tant qu'il était devant Ganga, mais avant qu'il ne pût l'empêcher les larmes avaient ruisselé sur ses joues et il était devenu évident qu'il serait incapable de s'arrêter, ce qui quelque part l'avait rassuré, car en réalité il avait envie d'ouvrir les vannes, de se laisser complètement aller, en fait, si bien qu'en continuant à penser à son pénis qui pendouillait, inutile, à son corps délabré, en s'imaginant le rouler tendrement dans un carré de sari et l'enfouir dans la terre, il s'était mis à pleurer de plus en plus fort, entraînant progressivement tout son corps, tant et si bien que sa poitrine s'était mise à se convulser, tant et si bien que tout chez lui tremblait, jusqu'à ce que, enfin, il fût entièrement absorbé dans l'acte de pleurer.

Une fois, alors qu'il avait huit ou peut-être neuf ans, sa mère l'avait réprimandé d'une gifle, pour quoi au juste il ne se le rappelait pas, se souvenant simplement de l'injustice de ce coup qu'il n'avait pas mérité. En larmes, il s'était enfui de la cuisine pour courir dans la chambre qu'il partageait avec son frère et sa grand-mère et avait fermé la porte afin d'être seul, avant de se glisser dans le minuscule espace sans lumière sous le lit en bois où dormait leur grand-mère. Une quinzaine de centimètres seulement séparaient le plancher du sommier, mais Dinesh étant mince, il était parvenu à s'y insinuer à plat ventre, les narines obstruées par l'odeur sèche de poussière, le crâne pressé contre les lattes qui soutenaient le matelas au-dessus de lui. Il avait lentement pivoté pour que ses pieds touchent la base du mur, et, le front plaqué sur le plancher frais comme pour prier, il s'était mis à pleurer, se tirant des larmes en se disant qu'il avait été frappé à tort, se remémorant non seulement ce qui venait de se passer, mais aussi, l'une après l'autre, toutes les fois où sa mère l'avait frappé par le passé, se servant sciemment mais peut-être pas consciemment de chaque occurrence pour alimenter l'effusion. Pourquoi au juste avait-il voulu se mettre dans cet état, ce n'était pas très difficile à comprendre, pleurer sur son sort est gratifiant après tout, c'est une façon de prendre soin de soi, même si ça implique avoir du chagrin, en revanche pourquoi avait-il eu besoin de se cacher pour le faire, pourquoi avait-il été incapable de s'apitoyer à découvert, c'était un petit peu plus difficile à déterminer. Peut-être était-ce lié au fait que pleurer sur son sort c'est admettre sa vulnérabilité, admettre qu'en dépit de nos divers efforts et de nos poses on peut être et avoir été blessé par le monde. En pleurant sur son sort, on renonce à la mâchoire serrée, au regard froid ou à l'indifférence feinte grâce auxquels en d'autres moments on arrive à se protéger des événements, et peut-être que pour supporter la période de contact rugueux avec le monde qui suit ce laisser-aller, on a besoin de se trouver dans un endroit sûr, un endroit où on ne peut pas nous faire de mal. À moins peut-être qu'il n'ait eu besoin de se cacher non pas pour se protéger, mais plutôt parce que l'indignation qu'il ressentait était disproportionnée par rapport à l'injustice subie, parce que, comparé à toutes les autres injustices du monde, ce que sa mère lui avait infligé était une broutille et ne lui donnait aucune raison valable de pleurer sur son sort. Peut-être est-ce la raison pour laquelle en grandissant on s'effondre et on s'apitoie moins sur soi, car de telles larmes ne peuvent couler que quand on ignore les souffrances de tous les autres gens, ou du moins qu'on fait mine qu'elles n'ont aucune importance. Quand on grandit, les souffrances des autres deviennent plus difficiles à ignorer, à mesure qu'on découvre la vie et qu'on prend davantage part au monde il devient plus difficile de s'imaginer que le chagrin auquel on est confronté est unique et nécessite une attention particulière, en conséquence de quoi pleurer sur son sort paraît complaisant, à moins de pouvoir prétendre qu'il n'existe personne d'autre, ou que son chagrin est différent et plus exceptionnel, et peut-être est-ce plus facile de le faire quand on trouve un endroit où on est complètement seul.

Pourquoi au juste avait-il voulu enfouir sa tête si profondément dans le cou de Ganga, c'était difficile à dire, mais en tout cas, après s'être immergé si longtemps dans la douleur enivrante de son corps convulsé, dans l'eau de ses yeux qui coulaient à n'en plus finir, un doux épuisement engageant avait commencé à le bercer, et en entendant pour la première fois cette voix étouffée qui s'élevait et retombait dans le lointain, Dinesh s'était brusquement souvenu qu'allongée à ses côtés se trouvait une fille qu'il venait d'épouser, une personne qui avait bien plus souffert que lui dans le passé récent, qu'ils étaient allongés dans une clairière au milieu de la jungle, juste au nord-est d'un camp qui abritait des milliers d'évacués, qu'il y avait, en bref, un monde qui existait au-delà de lui. Leurs corps étaient toujours légèrement pressés l'un contre l'autre et le bras de Ganga toujours passé mollement sur lui, comme si elle ne savait pas trop comment réagir à ce qui venait de se passer, si elle devait le réconforter et le consoler ou se retirer pour le laisser pleurer seul. Soudain honteux de son comportement, Dinesh contracta ses muscles et essaya de mettre fin aux frissons qui lui parcouraient toujours le corps. Il leva un peu la tête du cou détrempé de Ganga afin que leurs visages et leurs cous ne se touchent plus mais de manière à ce que leurs regards ne se croisent toujours pas, et, ne sachant trop s'il avait véritablement entendu quelque chose ou si c'était simplement son imagination, il ferma les yeux et essaya d'écouter. L'appel s'éleva une fois de plus, s'attarda dans la canopée, puis s'éteignit. Le corps de Ganga remua un peu à côté de lui, comme si elle avait entendu aussi, mais Dinesh tâcha de rester immobile. Il mourait d'envie de la regarder pour vérifier qu'elle aussi avait entendu ce bruit en provenance d'une zone de la jungle proche de la clairière, semblait-il, à une quinzaine ou une vingtaine de mètres au nord ou au nord-ouest, mais la regarder aurait également signifié reconnaître qu'il avait pleuré, ce dont il était encore incapable.

Le bruit s'éleva, cette fois-ci se prolongea un peu, et s'éteignit. Ganga remua encore, fermement cette fois, comme si elle voulait se déplacer, alors n'ayant d'autre choix que de réagir, Dinesh s'essuya les yeux et les joues d'un revers de manche et se mit en appui sur les coudes en veillant à garder les yeux détournés. Ganga retira son bras, plia les jambes et s'assit la tête posée sur les genoux. Dinesh se demanda un moment s'il devait dire quelque chose pour s'excuser, s'il devait tenter d'expliquer pourquoi il avait tant pleuré, mais qu'aurait-il bien pu dire, il ne savait pas, et de toute façon rien sur le visage de Ganga ne trahissait qu'il s'était passé quoi que ce soit. Il semblait qu'elle voulût faire mine de ne pas avoir été là ou que ça n'était pas arrivé, et, semblant comprendre sans avoir besoin de le regarder qu'il hésitait à aborder le sujet, elle se tourna vers lui et le devança.

C'était quoi ce bruit ?

Dinesh secoua la tête en la regardant puis détourna vite les yeux.

Je ne sais pas trop.

Le bruit s'éleva de nouveau — était-ce un appel, des paroles ou des pleurs, impossible à dire —, s'éternisa et s'éteignit. Le silence régna pendant vingt ou trente secondes, comme si la voix voulait se reposer pour reprendre des forces, puis s'éleva de plus belle.

Ça t'est déjà arrivé de l'entendre ?

Non. Jamais.

Ça ne venait probablement pas d'un membre du mouvement, Dinesh le savait, car les cadres ne faisaient jamais aucun bruit quand ils se déplaçaient. Il y avait des chances qu'il s'agisse d'une personne blessée du camp, pourtant il aurait été étrange à cette heure de la nuit qu'un blessé se traîne jusque dans la jungle au lieu d'aller à la clinique ou à l'hôpital ou, si ça faisait un moment qu'il était là, se mette à gémir juste maintenant, alors que le dernier bombardement avait eu lieu tôt dans la matinée. Quelle que fût la source de ce bruit, il rendit soudain Dinesh nerveux, car même s'il n'était pas synonyme de danger, tôt ou tard les cadres l'entendraient et seraient attirés dans cette partie de la jungle pour enquêter, auquel cas il y aurait des chances qu'ils vinssent aussi dans la clairière. Si la voix devait s'arrêter relativement vite, alors peut-être était-il sensé qu'ils prennent le risque d'attendre, allongés là en silence, mais si à l'inverse elle devait continuer, alors il serait probablement mieux d'en découvrir l'origine le plus vite possible pour voir si on pouvait y remédier. Se confronter à la source de ce bruit pouvait conduire à quelque tapage, ils n'avaient aucune idée de ce qui le provoquait, après tout, mais s'il se montrait prudent, il pourrait aller voir de quoi il retournait tout en gardant ses distances. Même s'ils étaient impuissants, au moins auraient-ils acquis une certaine tranquillité d'esprit en sachant à quoi ils avaient affaire, plutôt que de rester à s'angoisser le reste de la nuit sur l'origine de ce bruit et se demander s'ils couraient un danger. Sans compter que si Ganga le voyait prêt à mener l'enquête, elle se rendrait peut-être compte qu'il n'avait pas peur, qu'il voulait prendre soin d'elle. Peut-être oublierait-elle complètement ses pleurs, ou en viendrait à les considérer somme toute comme exceptionnels, et peut-être qu'en allant voir il pourrait même reconquérir son respect. Il se redressa et la regarda. Après une hésitation, il essaya de parler avec assurance.

Attends-moi donc là. Je vais aller voir ce que c'est.

Ganga ne dit rien, mais le considéra attentivement.

Ne t'inquiète pas si je ne reviens pas tout de suite, je serai prudent. Je vais faire vite.

Elle fit un signe de tête pour indiquer qu'elle trouvait cette idée acceptable. Elle eut une expression de vague soulagement sur le visage, moins parce que ce bruit l'inquiétait, ne pouvait s'empêcher de penser Dinesh, que parce qu'elle avait envie d'être seule un moment. Rien de plus naturel, cela dit, étant donné ce qui venait de se passer, il se leva donc et attendit que l'appel recommence afin de pouvoir le localiser. Quand il fut prêt à partir il regarda une fois de plus Ganga avec un sourire qu'il voulait confiant, puis se mit lentement en branle, longea les plantes et les fougères devant le lit, pénétra la lourde obscurité par-delà les arbres. Tout en s'appuyant aux branches et aux troncs pour garder l'équilibre, il suivit à l'aveuglette la voix qui s'élevait et retombait en s'efforçant de mémoriser sa position par rapport à la clairière, car comme il ne suivait pas son trajet habituel, il lui serait difficile de retrouver son chemin dans le noir. Durant les brefs intermèdes de silence il s'arrêtait, se reposait un peu, attendait, puis, quand la voix reprenait, ajustait sa trajectoire et allait de l'avant. La plainte devenait moins morne et assourdie à mesure qu'il se rapprochait de son point d'origine et, en fusant de façon plus rythmée et distincte dans l'air, elle commença davantage à ressembler à un braillement ou à un hululement qu'à quoi que ce soit d'intelligible, pas du tout à un bruit humain, même si sous sa dureté on percevait également une nuance de vulnérabilité, pareille aux cris d'un enfant autoritaire qui refuse d'admettre son impuissance. Dinesh ralentit progressivement, les mollets crispés par l'inconfort de la marche sur la pointe des pieds, et en arrivant enfin dans le voisinage immédiat du bruit il s'arrêta et retint son souffle, craignant de se faire remarquer. Le bruit s'éleva à deux ou trois mètres devant lui, se maintint quelques secondes et s'éteignit. Il provenait d'un fourré de fougères regroupées au pied d'un arbre, de quelque part à l'intérieur du fourré, probablement de sous la couverture des frondes. Pour la première fois Dinesh se rendit compte à quel point la source du son devait être modeste, c'était probablement une espèce de petit animal, plus petit qu'un chat ou un chien, peut-être même de la taille d'un écureuil. Jusque-là nerveux, ne sachant à quoi s'attendre, il laissa dès lors s'échapper l'air qu'il retenait à l'intérieur de sa poitrine et se dirigea d'un pas vif et assuré vers le fourré. La mélopée, qui venait juste de reprendre, s'interrompit. Dinesh s'agenouilla lentement, plongea les mains au milieu des fougères et, prudemment, comme si la bête qui se trouvait là risquait de mordre, se mit à fouiller parmi les frondes. Il repéra presque aussitôt les contours de quelque chose de caché et, après avoir écarté les feuilles, se pencha. Il baissa la tête au niveau du sol, plissa les yeux et, à mesure que ses yeux s'habituaient à l'obscurité, commença à voir.

Allongé sur le côté, l'œil humide, immobile, pas tout à fait un oisillon mais pas encore un adulte, se trouvait un petit corbeau noir. Son bec noir recourbé était entrouvert, figé au milieu de son cri, et ses minces pattes noires semblables à des brindilles saillaient perpendiculaires à son corps. Sa petite tête en cours de développement était rentrée à un angle bizarroïde, fixée directement aux épaules, comme s'il avait le cou brisé ou mutilé. L'aile visible avait aussi quelque chose d'abîmé, elle n'était pas correctement attachée au reste du corps, les plumes ébouriffées n'étaient plus alignées et étaient couvertes d'un étrange vernis sombre, du sang séché manifestement. Sur la terre juste en dessous miroitait une substance blanchâtre, certainement une fiente. Le corbeau avait dû être allongé là depuis deux ou trois heures au moins. Il était possible qu'il fût tombé d'un arbre durant l'un des bombardements, bien qu'aucune bombe ne fût tombée récemment dans cette partie de la jungle. Mais il était plus probable qu'il eût été blessé par l'un des obus qui avaient frappé le camp ce matin-là, et fût parvenu à voler vers la jungle avant que ses blessures ne le contraignent à atterrir. Dinesh écarta davantage les frondes afin de laisser passer plus de lumière, et ce faisant une mouche s'envola de l'aile du corbeau. Il agita la main au-dessus du corps, deux autres mouches prirent leur envol. Quand avait-il vu un oiseau pour la dernière fois, Dinesh n'en avait aucune idée. Il ne se rappelait pas avoir vu le moindre hibou, faisan, coucou, perroquet ou moineau durant les mois précédents, pas même un autre corbeau, comme s'ils avaient tous remarqué les signes de la guerre et s'étaient envolés depuis longtemps, ne laissant derrière eux avec les évacués que leurs congénères désorientés ou malades, réduits au silence par le bruit et le feu des bombardements.

Agenouillé, complètement immobile, Dinesh regarda

au fond du petit œil humide et parfaitement rond de l'oiseau. L'animal le voyait-il ou non, il n'arrivait pas à le déterminer, mais le corbeau laissa son bec se refermer et se mit à faire un son. Pas l'appel criard et houleux d'avant, mais un doux sifflement exténué, bruit de vieillard plutôt que d'enfant, comme si après avoir enfin attiré l'attention d'une autre créature vivante il pouvait arrêter d'appeler si fort et de manière aussi insistante, être libre, enfin, de penser uniquement à sa douleur. Pourquoi avait-il déployé autant d'efforts à appeler et que croyait-il qu'une autre créature vivante pourrait faire pour lui, Dinesh n'arrivait pas à le comprendre. Il n'avait pas de nourriture à lui donner, aucun moyen de soigner ni de guérir ses plaies. Il pouvait juste mettre un terme à ses souffrances, ou simplement le laisser tranquille. S'il le tuait il pourrait le libérer de son dernier calvaire, alors que s'il le laissait vivre le corbeau n'aurait d'autre choix que d'attendre, continuer à souffrir jusqu'à sa mort. Dinesh s'approcha un peu plus de l'horrible tête de l'oiseau et examina son bec noir recourbé et son petit œil humide, son duvet noir emmêlé et la fine peau rose qu'on devinait en dessous. S'il voulait, il pourrait prendre ce petit crâne aux os creux entre le pouce et l'index et l'écraser si complètement que l'extrémité de ses doigts se rejoindrait au milieu. L'écraser si parfaitement que sa vie s'effondrerait entre ses doigts, que sang et matière grise s'écouleraient par le bec, mais même s'il s'agissait peut-être de la chose la plus charitable à faire, il ne pouvait en aucun cas s'y résoudre, Dinesh le savait. Ce corbeau avait beau souffrir et supplier d'être tué, Dinesh voulait le laisser vivre, le laisser continuer à exister. Qu'il le tuât ou non son heure viendrait bientôt, alors autant qu'il eût un sursis pour faire l'expérience et se souvenir de ce qu'était la vie avant de mourir. Dinesh lâcha les frondes qu'il retenait de la main droite et, du bout de l'index, caressa la tête du corbeau, laquelle sous les poils noirs et humides était aussi creuse et fragile qu'un œuf. Peut-être n'avait-il rien voulu d'autre que de la compagnie. Peut-être n'avait-il pas du tout voulu qu'on l'achève, peut-être s'était-il égosillé dans l'obscurité juste afin de pouvoir être un moment en présence de quelqu'un.

Le corbeau cligna lentement des yeux et Dinesh renouvela sa caresse, comme pour lui assurer qu'il resterait encore un peu avec lui. Doucement, il laissa le reste des fougères reprendre leur position initiale, de sorte que l'oiseau était de nouveau lové dans la sûreté et la sécurité des plantes. Palpant le sol derrière lui, Dinesh se laissa lentement tomber en arrière et s'allongea genoux pliés, l'enchevêtrement d'herbe, de tiges, de feuilles et de terre moelleux sous son dos et sa tête. Il ne pouvait pas faire attendre Ganga trop longtemps, évidemment, car s'il tardait trop elle pourrait penser qu'il lui était arrivé quelque chose et quitter la clairière pour partir à sa recherche. Cela dit, il n'y avait probablement aucun mal à s'allonger à côté du corbeau encore deux ou trois minutes, pas seulement pour lui apporter le maigre réconfort de la présence d'une autre créature vivante, mais aussi parce que s'il partait immédiatement il y avait un risque que l'oiseau le remarque et se remette à appeler. Alors que si Dinesh restait un moment, peut-être qu'ayant été suffisamment apaisé par sa brève présence le corbeau resterait silencieux après son départ. Quoi qu'il en soit, c'était agréable d'être allongé à côté de lui dans l'obscurité mystérieuse de cette nouvelle partie de jungle. On aurait dit un sanctuaire, un endroit où se ressaisir après avoir pleuré si longtemps sans pouvoir s'arrêter sur l'épaule de Ganga. La douleur de ses convulsions résonnant toujours doucement en lui, allongé un moment sur la terre meuble, il pourrait attendre qu'elle s'atténue, que son corps arrive à la contenir plus pleinement, plus complètement, de sorte que ce serait serein qu'il retournerait à la clairière et s'allongerait une fois de plus à côté de Ganga.

Un après-midi ou un soir il y avait longtemps, il devait avoir treize ou quatorze ans, alors qu'il révisait dans la pièce principale de la maison au bureau dont s'était servi son frère pour ses études avant de quitter le lycée pour rejoindre le mouvement, il s'était retourné pour regarder l'horloge sur le mur d'en face et avait remarqué, du coin de l'œil, un gecko au pied de la table. Ça avait beau être un peu inhabituel de voir un gecko immobile par terre comme ça en plein jour, il avait repris son travail sans y prêter attention, absorbé par la résolution de problèmes mathématiques dans le cadre des révisions des examens de fin d'année. Environ une heure plus tard, cependant, en s'adossant à sa chaise pour faire une pause dans son cahier d'exercices où il écrivait depuis si longtemps, il avait baissé les yeux et vu que le gecko était toujours là, exactement à la même place. Il était plus gros que la moyenne, de la taille de son index environ, ses pattes et son abdomen étaient fort dodus, et ses yeux noirs globuleux dans son paisible visage triangulaire. Dinesh avait frappé dans les mains pour le chasser, mais le reptile était resté calmement à sa place. Dinesh avait alors soulevé les pieds arrière de sa chaise en plastique, qu'il avait ensuite fait retomber bruyamment sur le sol en ciment, mais le gecko était resté parfaitement immobile. Levant les pieds du sol, Dinesh s'était penché vers lui et avait claqué des doigts au-dessus de sa tête pour essayer de lui faire peur. L'animal avait écarquillé les yeux, mais bizarrement il refusait de bouger. Son abdomen se dilatait et se contractait très vite, et sous sa peau beige translucide pulsaient de pâles éclairs bleus de sang. Ne comprenant pas trop ce qui se passait, Dinesh avait pris son crayon, repoussé sa chaise, et s'était agenouillé par terre loin derrière le gecko. Il avait tapoté le sol avec la gomme de son crayon à quelques centimètres de la queue, mais rien ne s'était passé. Lentement il avait rapproché le crayon jusqu'à frapper le sol à cinq millimètres des pattes arrière, puis il avait fini par le lever et, prudemment, avec fermeté mais sans brutalité, avait donné un petit coup sur le dos du gecko. La gomme s'était enfoncée dans le corps mou presque élastique, et l'animal avait sursauté violemment, tenté de détaler, et ce faisant avait bizarrement tordu une de ses pattes arrière sous son corps et s'était de nouveau figé. Il avait gardé cette position jusqu'à ce que Dinesh le touche de nouveau et que les trois autres pattes se mettent à patiner frénétiquement. Après avoir traîné son corps et sa jambe tordue sur une courte distance, il avait renoncé à moins de cinq centimètres de son point de départ. Il avait dû être frappé ou blessé d'une manière quelconque. Sa patte arrière gauche n'arrivait pas à bouger et sans elle le gecko n'y arrivait pas non plus. Comment était-il parvenu à cet endroit au pied de la table, c'était difficile à dire, mais il lui était impossible d'en partir par lui-même. Dinesh s'était un peu rapproché de l'animal blessé, avait un peu baissé la tête et avait examiné le membre inerte, qui avait par inadvertance retrouvé sa position initiale au cours de la dernière série de mouvements. Il ne semblait pas différent des trois autres : partant du corps mou et laiteux du gecko, il se terminait par une petite patte semblable à celle d'un chat, d'où pointaient cinq minuscules doigts ronds, tous de la même longueur, moins d'un millimètre, chacun si doux et si délicat qu'il semblait irremplaçable.

Dinesh avait eu beau essayer de se remettre au travail, il avait eu du mal à se concentrer en sachant que le gecko gisait handicapé par terre. S'il ne faisait rien, le reptile resterait là juste à côté de lui, il le savait, et cette idée le contrariait, non seulement elle le contrariait, mais elle lui donnait la nausée. Le gecko était si mou, si vulnérable, ses grands yeux sans paupières si désespérés. Tant qu'il ne bougeait pas, son corps trapu était l'image même de la vitalité, mais à cause de cette mutilation invisible, ses membres sains eux-mêmes étaient devenus obsolètes, le laissant incapable d'accomplir les fonctions les plus rudimentaires. On aurait dit qu'il espérait qu'en ne bougeant pas un muscle il pouvait persuader d'éventuels prédateurs qu'il était en bonne santé, qu'il ne servait à rien de le pourchasser, tout en sachant bien sûr certainement qu'il devrait se soumettre passivement à tout ce qui lui arriverait. Incapable de tolérer cette situation plus longtemps, Dinesh avait reculé sa chaise. Il avait ouvert sèchement son cahier d'exercices à la fin, déchiré une page lignée remplie puis s'était agenouillé. Poussant le gecko avec son crayon, il l'avait obligé à monter sur le papier, puis en tenant prudemment la feuille à deux mains au cas où l'animal aurait tenté de bouger, il s'était levé lentement, était sorti — conscient pendant tout ce temps de la pesanteur du gecko au centre du papier — et l'avait déposé à l'envers dans l'herbe dans le coin le plus éloigné du jardin. Puis il avait fait volte-face et était vite retourné à l'intérieur. Il avait du mal à se dire, alors qu'il se rasseyait à son bureau, que le gecko serait bientôt déchiqueté par un rat ou un corbeau, qu'en conséquence de son geste il devrait regarder sans mot dire son corps mou se faire éventrer par un bec ou des griffes. S'il n'avait rien fait, l'animal aurait bénéficié de sa protection au moins le temps qu'il étudie, de la protection de la maison aussi, mais tôt ou tard évidemment il aurait connu le même sort, tôt ou tard quelque créature l'aurait trouvé là au pied de la table et se serait jetée sur lui. Le gecko était encore vivant, Dinesh le savait, il faudrait un peu de temps avant qu'il soit découvert sans défense dans l'herbe, mais au moins savoir qu'il allait bientôt mourir était plus facile à supporter que l'idée qu'il continuerait à vivre dans cet état pitoyable.

Peut-être ces deux situations étaient-elles différentes à quelques nuances près car, contrairement à ce qui s'était passé avec le gecko, ça ne perturbait pas du tout Dinesh de rester à côté du corbeau blessé. Il ne ressentait pas l'envie pressante de mettre un terme à son existence ni de s'éloigner de lui, de fait il était même apaisé par sa présence, réconforté par sa proximité. Peut-être avait-ce été le désespoir dans les yeux sans paupières du gecko et les palpitations effrénées de son abdomen, désespoir moins perceptible chez le corbeau, qui avait rendu le voisinage du reptile si pénible, ou peut-être, et à la réflexion c'était plus probable, ces deux situations étaient-elles en réalité plus ou moins identiques, et c'était simplement lui qui avait changé. Quoi qu'il en soit, Dinesh était content de savoir que le corbeau était vivant sous les frondes, qu'il y resterait pendant un moment au moins après que lui serait retourné à la clairière, et qu'il aurait l'opportunité de passer ce temps-là dans le corps avec lequel il avait vécu pendant si longtemps. Dinesh voulait que l'oiseau, malgré sa douleur, réfléchisse à sa vie afin d'être seul avec lui-même d'une façon peut-être inédite. Et même si ce n'était pas inédit, même si c'était ainsi qu'il avait employé son temps depuis qu'il était tombé du ciel, épuisé, il n'y avait pas de mal, songeait Dinesh, à prolonger encore un peu ce moment.

Dinesh s'étira et bâilla en silence. Pleurer l'avait épuisé, s'il restait allongé plus longtemps, il risquait de s'endormir. Il se leva pesamment et en attendant, immobile, que le vertige provoqué par ce mouvement se dissipe, il s'étira et bâilla une fois de plus. Malgré ses paupières lourdes et légèrement gonflées, le reste de son corps lui paraissait étonnamment léger, comme si après avoir vidé, grâce à ses larmes, les puits profonds qui s'étaient amassés derrière ses yeux, son corps avait désormais perdu la plus grande partie de son poids. Il contempla la fougère sous laquelle gisait le corbeau puis se dirigea lestement vers un arbre à moins d'un mètre de là. De la main gauche il souleva son sarong et de l'autre redressa son pénis. Il lui semblait toujours petit, incapable de grossir ni de durcir, mais en se concentrant un moment les yeux fermés il poussa, et il en sortit quelques gouttes. Poussant plus fort, il ouvrit les yeux et regarda un long jet inaudible jaillir, dessiner un arc de cercle puis crépiter lourdement sur l'écorce et les feuilles des plantes au pied de l'arbre. Avec la main, il dirigea doucement le jet de la gauche vers la droite, écouta d'une oreille satisfaite les variations du crépitement à mesure que l'urine tombait sur diverses sortes de feuilles, puis le guidant vers le haut poussa plus fort pour voir jusqu'à quelle hauteur et quelle longueur il arrivait. Il força le plus longtemps qu'il put, mais progressivement l'arc se mit à rétrécir, son amplitude à diminuer, et après s'être divisé en deux jets plus minces il finit par se réduire à de simples gouttes. Dinesh secoua son pénis et rattacha son sarong. Il jeta un œil à la fougère comme pour informer le corbeau de son départ, un peu à contrecœur, mais content d'avoir pu laisser quelque chose de lui en guise de compagnie.

Il lui fut plus facile de trouver le chemin du retour qu'il ne l'avait craint, et alors qu'il se déplaçait en silence sous la canopée obscure, un calme étrange s'empara de lui, une paix qu'il n'avait pas ressentie depuis longtemps. C'était comme s'il y avait en lui une chose de valeur, comme si un espace hermétique à l'intérieur de sa cage thoracique abritait quelque petit objet fragile, quelque chose de tellement précieux que le reste de son corps, ses yeux et ses oreilles et ses mains et ses pieds, n'existait que pour l'alimenter. Tous les possibles, songeait-il, étaient contenus dans cet objet grâce auquel il était devenu autonome et capable d'assurer sa subsistance, comme indépendant du monde extérieur, et ce de plus en plus à chaque pas qui le rapprochait de la clairière. Certes Ganga et lui n'avaient pas réussi à faire l'amour, certes il l'avait probablement déçue en pleurant, mais ils étaient mariés à présent, chacun était devenu une partie de la vie de l'autre, et par certains côtés au moins elle semblait l'apprécier. Elle continuerait probablement à l'apprécier malgré ce qui s'était passé, et si tel était le cas alors il y avait de fortes chances qu'ils aient l'occasion de refaire l'amour à l'avenir, peut-être la nuit suivante, et sinon peut-être lors de l'une des nuits d'après. Ils n'avaient pas réussi à prolonger l'union qui s'était brièvement formée entre eux grâce à la parole, mais ils auraient l'occasion de se reparler le lendemain, et sinon peut-être lors des jours suivants, et à l'avenir ils auraient l'occasion de forger des habitudes qui leur permettraient de vivre ensemble dans le même monde sans même avoir besoin de parler. Il y avait un risque, évidemment, que l'un voire les deux fussent tués avant la fin de la guerre, mais il y avait également une chance qu'ils survivent tous les deux. Il était possible que l'un ou les deux fussent blessés, que l'un ou les deux dussent vivre avec un bras amputé ou une jambe amputée, mais il était aussi possible qu'ils arrivent tous les deux à s'en sortir indemnes, du moins physiquement. Quoi qu'il arrive, ils pourraient vivre ensemble, ils pourraient trouver un travail quelconque et dormir ensemble au même endroit, ils pourraient s'allonger côte à côte et être l'un avec l'autre. Il n'y avait aucune garantie que les choses se termineraient comme ça, il n'y avait aucun moyen d'en être complètement sûr, mais quelle que fût la situation, quelle que fût la probabilité, Dinesh ne pouvait pas s'empêcher d'avoir l'impression que tout ce dont il avait besoin était en sécurité à l'intérieur de sa poitrine, que tout ce qui comptait était scellé à l'intérieur de son corps, et qu'il n'avait plus aucun sujet d'inquiétude à avoir.

Quand il arriva à la lisière de la clairière Ganga était agenouillée en bordure du lit, penchée au-dessus du sac beige, qu'elle fouillait méticuleusement, cherchant manifestement quelque chose. Au bruit des pas de Dinesh sur les plantes et les fougères elle cessa de s'affairer, et leva des yeux interrogateurs tandis qu'il se frayait un passage jusqu'au lit. Dinesh était curieux de savoir ce qu'elle s'ingéniait à trouver dans le sac, mais avant même qu'il pût retirer ses tongs elle se mit à parler.

Que s'est-il passé ?

Ce n'était qu'un corbeau, murmura Dinesh en s'agenouillant sur le sari à côté de l'oreiller de terre. Il était blessé, c'est pour ça qu'il criait. C'est son aile qui a dû être abîmée pendant le bombardement.

Je pensais bien qu'il devait s'agir d'un animal. Qu'est-ce que tu as fait ?

Rien. Quand je suis arrivé il s'est arrêté de crier tout seul.

Qu'est-ce qui a pris autant de temps alors ?

Je me suis dit que je devrais probablement attendre un peu là-bas, pour m'assurer qu'il ne recommencerait pas à crier. Pourquoi, tu avais peur qu'il soit arrivé quelque chose ?

Ganga le regarda, puis secoua la tête.

Non. Je me demandais juste ce qui prenait autant de

temps. J'ai remarqué le moment où le bruit s'est arrêté, et j'ai pensé que tu reviendrais tout de suite après.

Il ne s'est rien passé. Je voulais m'assurer qu'il ne recommencerait pas, alors je me suis assis par terre à côté de lui. Je me suis dit qu'il voulait peut-être juste un peu de compagnie, et que si je restais un petit moment avec lui il ne se remettrait pas à crier après mon départ.

Ganga garda le silence un moment, puis regarda Dinesh et murmura.

S'il s'était blessé à l'aile, il aurait probablement mieux valu simplement le tuer. En général les oiseaux ne survivent pas s'ils sont incapables de voler.

Dinesh se décala légèrement et, les yeux tournés vers les arbres, essaya de trouver une manière de s'expliquer.

J'y ai pensé. Je n'ai pas voulu, je ne sais pas pourquoi. Ce n'est pas que j'avais peur, je l'aurais fait s'il l'avait fallu, s'il n'avait pas arrêté de faire du bruit. J'ai juste eu l'impression qu'il pourrait tout aussi bien rester en vie un peu plus longtemps s'il était condamné à mourir bientôt de toute façon.

Ganga le dévisagea puis détourna la tête comme pour signifier qu'elle ne partageait pas cette impression, mais que cette question ne pouvait probablement pas être résolue. Elle contempla un moment ses mains en silence, puis se tourna vers le sac beige encore ouvert et se mit à réorganiser quelques affaires à l'intérieur. Rien dans ses propos ni dans ses gestes ne trahissait qu'elle songeait encore au fait qu'il avait pleuré, songeait Dinesh en l'observant depuis sa place. Le seul changement perceptible était qu'elle semblait plus patiente à présent que lorsqu'ils avaient discuté précédemment, pas nécessairement moins réservée, mais plus douce, comme si elle avait décidé, pendant son absence, de se montrer moins sévère avec lui.

Elle ferma sans bruit la glissière du sac et retourna vers le rocher. Elle étendit alors les jambes et s'allongea sur le dos, de sorte qu'elle était face au ciel, à la même place où elle avait dormi un peu plus tôt dans la nuit. Dinesh avait envie de lui demander ce qu'elle cherchait dans ses affaires, mais elle fixait attentivement la fenêtre de ciel noir au-dessus d'eux, comme en pleine contemplation, et il sentait qu'elle n'avait pas envie d'être dérangée. Il continua à l'observer un moment sans bouger, puis, levant les yeux vers les arbres en lisière de la clairière, scruta l'obscurité. Pour la première fois depuis leur mariage, la perspective d'être ensemble en silence ne l'inquiétait pas. Il avait toujours un sentiment de paix intérieure et, même s'il aurait été content de savoir ce qu'elle pensait, l'effort requis pour se porter à la surface de sa propre existence, pour exister au niveau de ses yeux, de ses joues et de l'extrémité de ses doigts, ne semblait pas nécessaire à présent. Il était encore plus fatigué qu'avant, son corps commençait à lui paraître lourd, surtout sa tête, et ce qu'il voulait par-dessus tout c'était s'allonger de tout son long et se laisser sombrer tête la première dans la terre. Il n'était ni urgent ni vital que Ganga et lui parlent ou interagissent, et désormais il n'y avait plus besoin d'entretenir la conversation sous peine d'aboutir à une séparation. Ils étaient mariés à présent, ils auraient moult occasions de parler, de se comprendre et de se rapprocher, à l'avenir il y aurait du temps, rien ne pressait. Dinesh s'étendit de tout son long sur son côté du lit de sorte qu'il était parallèle à Ganga, leurs corps proches sans se toucher. Avec une expiration, il laissa son corps se relâcher. Sous lui le tissu léger du sari était frais contre la peau humide de ses jambes, au-dessus il discernait le contour des feuilles et des branches dans l'obscurité, et à travers leurs interstices le bleu profond du ciel dans l'immensité. Il prit une grande inspiration et écouta sa poitrine se soulever doucement et retomber. À côté de lui la poitrine de Ganga se soulevait et retombait aussi, à son propre rythme, mais sans être en conflit avec le sien, formant un paisible entrelacs dans le refuge douillet de leur silence. Contrairement au silence intime auquel ils étaient parvenus ensemble un peu plus tôt, fragile et exigeant, et contrairement au silence tendu dans lequel ils étaient restés l'un à côté de l'autre après leur mariage, quand la présence étrange d'un nouveau corps rendait impossible de se retirer en soi, le silence qui les entourait à présent semblait différent, plus confortable. C'était le silence qui appartenait à ceux qui étaient plus ou moins parvenus à s'habituer l'un à l'autre, qui avaient appris comment être dans une proximité physique tout en restant dans son propre monde, comment préserver son humeur singulière même en présence d'autrui. Dinesh était content de laisser ce nouveau silence se poursuivre sans heurt. Les yeux clos, il se contentait d'écouter l'air entrer dans son nez, remplir sa poitrine puis refluer dans l'atmosphère et vider sa poitrine.

Évidemment il était difficile de savoir ce que Ganga et lui feraient à l'avenir, comment ils occuperaient leur temps ensemble. Si les réfugiés du camp ne parlaient ni ne faisaient jamais rien pendant leur temps libre, les gens en général, eux, employaient bel et bien leur temps à quelque chose, Dinesh le savait, ils passaient leurs journées à faire des choses tout seuls ou avec d'autres. Des images éparses lui revenaient de la ville de Jaffna qu'il avait visitée enfant, avant que le gouvernement ne prenne le pouvoir sur la péninsule et qu'ils soient contraints à ce long exode vers le continent. Il revoyait tous ces passants élégants dans les rues, qui marchaient, parlaient, faisaient leurs courses, roulaient à vélo, prenaient des bus, se cramponnaient à leur sac, se déplaçaient toujours avec des foulées énergiques. Il semble que dans la vie ordinaire les gens transportent toujours des affaires. Enfant, cela ne lui paraissait ni inhabituel ni surprenant, il le prenait comme une évidence, c'est pourquoi il n'avait jamais pris le temps d'y réfléchir, mais avec du recul il était difficile de savoir au juste ce qu'ils étaient toujours aussi occupés à transporter. Des parapluies, peut-être, en cas de pluie, des mouchoirs, en cas de rhume. Des journaux, peut-être, pour avoir quelque chose à lire en attendant, pour savoir ce que font toutes les autres personnes dans le monde. Les écoliers doivent évidemment transporter leurs livres, leurs crayons et leurs gommes, et puis la plupart des gens emportent un peu d'argent partout où ils vont, ils doivent donc transporter des porte-monnaie et des portefeuilles, et aussi tout ce qu'ils achètent avec cet argent qu'ils emportent. Les gens achètent toujours des choses après tout, c'est pour cette raison qu'il y a en ville tant de magasins et d'échoppes. Ils ont besoin de nourriture pour manger, et donc ils achètent des légumes et de la viande, des bonbons aussi, s'ils aiment les bonbons.

Ils doivent acheter du bois ou du gaz pour cuisiner, et des vêtements à porter, des médicaments et des balais, des choses pour la cuisine, tout ce qui est nécessaire à l'entretien de la maison. Dinesh essaya de penser à tous ces individus qui vaquaient à leurs occupations, faisaient ce qu'ils avaient à faire, avaient sur eux tout ce dont ils auraient besoin au cours de la journée, ainsi que tout ce qu'ils auraient besoin de rapporter plus tard chez eux. Il y avait tellement d'activité dans les scènes dont il se souvenait, tellement de mouvement, toujours tellement de gens qui allaient et venaient, en bus, à vélo, en train et à pied, tellement qu'il y avait toujours quelque chose de légèrement difficile pour lui à saisir. D'où venaient-ils tous et où allaient-ils, et pourquoi avec toujours autant d'empressement ? Il était difficile de répondre en termes généraux, naturellement, puisque ça dépendait de chaque individu, de sa manière de gagner sa vie et des gens qu'il fréquentait, et ça dépendait aussi du moment de la journée et du jour de la semaine. Quelle que soit leur destination précise cependant, globalement les gens vont toujours chez eux ou en partent, directement ou via des étapes intermédiaires. Ils sont toujours attirés vers leurs maisons quand ils sont à l'extérieur et attirés à l'extérieur quand ils sont chez eux, car quelle que soit l'importance qu'elle revêt aux yeux de ses occupants, une maison n'est-elle pas après tout une simple demeure temporaire, un endroit où on peut manger, se reposer et dormir, où on peut stocker en sécurité toutes les affaires dont on a besoin pour vivre afin de ne pas être contraint de repartir de zéro le lendemain ? Quel que soit le sentiment de centralité et de stabilité qu'elle confère, une maison n'est qu'un havre provisoire dans le mouvement plus vaste qui commence à la naissance et finit à la mort, et pourquoi ce mouvement est-il aussi important, pourquoi les gens continuent-ils à se déplacer malgré tous les obstacles auxquels ils sont confrontés, difficile à dire.

Une brise fraîche balaya Dinesh, lui rafraîchit la peau et s'apaisa. Sa poitrine se soulevait et retombait tandis qu'il contemplait le ciel à travers la canopée, lentement se soulevait et lentement retombait, l'air affluant et refluant doucement. Peut-être les gens n'ont-ils simplement pas le choix. Peut-être doivent-ils bouger sans s'arrêter, se lever le matin et continuer comme ça jusqu'au soir. Respirer n'est ni un choix ni une habitude après tout, ce n'est pas quelque chose qu'on peut commencer ou arrêter à sa guise. L'air pénètre notre corps de son propre chef et s'en retire de même, du premier au dernier souffle, et donc peut-être qu'en un sens vivre n'est pas un choix. L'air continue à affluer, et jusqu'à ce qu'il s'arrête il continuera à refluer. Quand on a faim, on mange, quand on a soif, on boit. Quand notre vessie est pleine, on pisse, quand nos intestins sont pleins, on chie. Les jambes doivent bouger, il faut donc aller quelque part et donc il y a des endroits où aller. Les bras doivent travailler aussi, donc on doit transporter des choses, et donc il y a des choses qu'on porte et auxquelles on s'accroche. Pendant tout ce temps l'air continue à affluer et à refluer, la poitrine continue à se soulever et à retomber, et peut-être que c'est tout, peut-être que c'est ça la vie. Si on n'avait pas de nourriture on ne pourrait plus manger, et si on ne mangeait plus on n'aurait plus besoin de chier. Si on n'avait pas d'eau on ne pourrait plus boire, et si on ne buvait pas on n'aurait plus besoin de pisser. Si nos jambes étaient brisées, perforées ou soufflées, on n'aurait plus besoin de marcher, et c'était valable aussi pour les bras. Il y aurait juste moins de travail à fournir tant qu'on serait en vie, tant que l'air continuerait à entrer et à sortir, progressant dans le corps avant de refluer, tant que la poitrine continuerait à se soulever, et à tomber, et à se soulever, et à tomber, jusqu'à ce que, enfin, ce mouvement aussi se fige, et peut-être que ça, quand ça arrive, n'est que ça.

Dinesh se tourna lentement sur le côté de façon à être face à l'extérieur, dos à Ganga, qui, déjà tournée, faisait face au rocher. Ses paupières de plomb se refermaient sur ses yeux fatigués et brûlants, sa tête lui semblait lourde sur la terre. Veillant à ne pas prendre trop de place sur le lit, il replia un peu les jambes et se pelotonna, recula un peu vers Ganga en se tortillant, se rapprocha lentement de sa chaleur et de sa douceur, si bien que son dos exerçait une légère pression contre le sien, si bien que ses talons à elle reposaient contre ses mollets à lui. Alors qu'il inspirait en silence, expirait en silence, se pelotonnait, rentrait les épaules et la tête, Dinesh sentit une déferlante d'épuisement le balayer, submerger ses membres relâchés. S'endormir est en un sens ce qui se rapproche le plus du renoncement au monde extérieur quand on est encore en vie, il est donc étrange qu'afin de dormir on ait toujours besoin de se trouver dans un endroit sûr et réconfortant, qu'on ait besoin de quelque chose de fiable dans le monde extérieur auquel on puisse se raccrocher ou qu'on puisse toucher, à l'instar d'un bateau amarré auquel un plongeur est attaché quand il s'enfonce dans la mer, rassuré de savoir qu'il y a quelque chose en surface où il pourra retourner le moment venu. Dinesh glissa la main gauche sous sa tête et recula juste un peu plus, de façon à sentir la présence chaude et vivante de Ganga juste un peu plus pleinement contre son dos, et sentant cette sécurité et ce réconfort pour la première fois depuis combien de temps, il n'aurait su dire, il s'enfonça, lentement, en silence, dans un état de profond sommeil.

8

Un bruit lui parvint du plus profond de la terre, une douce et profonde répercussion, et, comme si la terre l'appelait par en dessous, Dinesh se recroquevilla davantage. Il rentra les épaules, replia les jambes et de sa main couchée entre sa tête et l'oreiller de terre agrippa le sol comme pour avoir un contact plus intime avec lui. Son corps se tendit puis se relâcha sans que la paisible inconscience de son visage en fût troublée. Le silence régna un moment puis, plus forte et moins subtile, la répercussion retentit de nouveau, pas seulement sous lui cette fois, mais aussi au-dessus et autour. Son corps se tendit de nouveau, sa main empoigna plus fermement l'oreiller, et comme si une part de lui percevait désormais que le monde essayait de l'arracher à son sommeil paisible, il rentra une fois de plus les épaules et ramena les genoux contre la poitrine. Il eut beau froncer les sourcils, fermer convulsivement les paupières, se démener pour s'isoler de tous les éléments extérieurs qui essayaient de le pénétrer, il se retrouva suspendu entre sommeil et veille, dans cet étrange état liminal où l'on est avec soi-même d'une manière à nulle autre pareille, où dans le germe noir de la conscience les questions et la complexité de la vie se cristallisent dans le simple choix entre se réveiller et continuer à dormir, entre rallier le monde et rester en retrait, même si en un sens évidemment ce choix n'est pas vraiment un choix puisque tôt ou tard on doit se réveiller de toute façon, tôt ou tard la lumière, le bruit, la faim ou l'envie de pisser nous forcent à nous lever et à rallier le monde. La tête rentrée, le front plissé sous l'effort de concentration, Dinesh essaya de réintégrer son état de sommeil, de remettre à plus tard le choix qu'on lui présentait, mais quelque part au loin il entendit un léger murmure d'air, un chuintement lointain qui se mua lentement en un sifflement, pareil à un objet lisse et lourd qui tombe du ciel, et alors que ce sifflement montait dans les aigus il se sentit tomber, comme si la terre sous lui avait cédé, basculant tête la première à travers les ténèbres tandis que le sifflement se faisait suraigu avant de brusquement s'arrêter. Le choix, manifestement, avait été fait pour lui. Tel un seau resté longtemps immergé dans un puits qu'on tire soudain d'un coup sec par la corde, il ouvrit les yeux. Au loin retentit une explosion fracassante.

Il faisait nuit noire, un vaste silence pénétrant l'entourait. Il resta dans sa position de dormeur, légèrement désorienté, et lentement les frontières lointaines du silence furent percées par les gémissements de voix humaines assourdies. Il se tourna sur le côté et posa la tête sur son coude. Il avait les yeux gonflés, la tête pareille à de lourds bris de verre. Il avait envie de se rallonger et de fermer les yeux mais il savait qu'il se passait quelque chose auquel il fallait prêter attention. Il se frotta les yeux et se passa la main dans les cheveux, puis se souvenant qu'il était marié, se retourna pour regarder Ganga, qui n'était pas là. Il était allongé au milieu du lit et Ganga n'était pas là entre lui et le rocher comme elle l'avait été quand ils étaient allés se coucher, les plis du sari de son côté du lit ne marquaient aucune rupture avec ceux du côté de Dinesh, comme si personne n'avait été allongé à côté de lui du tout. Un nouveau sifflement retentit depuis le camp, plus aigu et plus distinct qu'avant. Il fut suivi par plusieurs autres, chacun se superposant au précédent, puis par des explosions, chacune plus forte et plus dévastatrice que celles d'avant, toujours dans le camp mais beaucoup plus près désormais de leur secteur de jungle. Dinesh se redressa et regarda autour de lui, mal à l'aise. La clairière était remplie du noir presque opaque qui précède l'aube, mais il parvenait à discerner la bouteille d'eau restée à côté du rocher, la batterie de cuisine et le sac beige au pied du lit. Un martèlement désagréable dans la partie inférieure de la poitrine, il s'agenouilla et longea des yeux la bordure du lit en quête des tongs de Ganga et, ne les trouvant pas, se leva aussitôt et trébucha sous l'effet d'un vertige, se rattrapant de justesse au rocher derrière lui. Appuyé dessus à deux mains, il essaya de se stabiliser. Il attendit d'être sûr de pouvoir tenir debout avant de se redresser et de parcourir à nouveau la clairière des yeux avec une lenteur délibérée, comme si ce n'était qu'à cause de quelque distraction inexplicable qu'il n'arrivait pas à voir Ganga, et pourtant il n'arrivait toujours pas à la trouver. Il s'efforça de garder son calme. S'agenouillant, il tapota de ses paumes la zone du sari sur laquelle elle s'était allongée un peu plus tôt, afin de confirmer avec ses mains ce que voyaient ses yeux. Il était évidemment possible qu'elle ait simplement eu besoin d'aller aux toilettes et qu'elle reviendrait vite, ou qu'elle ait juste eu envie de faire une petite promenade. Il était possible que partir à sa recherche n'aboutirait qu'à les séparer pour de bon, que le mieux à faire était simplement de rester tranquille jusqu'à ce qu'elle revienne d'elle-même, mais en se souvenant alors, dans la stupeur de son tout récent réveil, de la façon dont il avait pleuré avant qu'ils aillent se coucher, de l'indécision de Ganga quant à la manière de réagir et de comment par la suite elle avait voulu rester seule sans mot dire de façon à pouvoir se consacrer à ses propres pensées, Dinesh eut soudain la certitude qu'elle était retournée au camp dès qu'il s'était endormi.

Il se leva lentement, resta immobile un moment jusqu'à être stable, puis la mâchoire serrée et le corps tendu, se mit à courir le plus vite possible. Piétinant les plantes et les fougères entre le lit et la lisière de la clairière, il se fraya un passage jusque dans la jungle sans se retourner, mais à peine y eut-il pénétré que la densité de la végétation et l'obscurité l'obligèrent à ralentir, à lever les pieds et à les poser précautionneusement pour éviter de trébucher sur les plantes et les racines noueuses. Il se sentait bien plus mal en point qu'avant d'aller se coucher, comme si après avoir dormi correctement pendant quelques heures pour la première fois depuis des mois, son corps avait soudain pris conscience de son manque cruel de sommeil. Sa tête dodelinait lourdement, ses articulations étaient raides, et à le voir s'agripper à l'aveuglette aux branches et aux troncs, on aurait cru qu'il était resté alité plusieurs jours durant. Cependant son équilibre s'améliorait à mesure qu'il progressait à travers les arbres et il se mit à se mouvoir avec plus d'efficacité, ses jambes étant plus stables et plus à même de supporter son poids. À chaque bombe qui tombait au loin son engourdissement lui aussi se dissipait un peu plus, comme si à chaque boum ! un pan du fouillis inqualifiable qui lui encombrait l'esprit était rasé, laissant une surface plane et dégagée où il pouvait penser. Le plus probable était que Ganga fût retournée au camp à la recherche de son père. C'était la première nuit qu'elle passait loin de lui, elle avait sans doute voulu retourner à leur tente pour s'assurer qu'il allait bien. Elle avait dû entendre le bombardement dans le camp, commencer à s'inquiéter pour lui, et partir avec l'intention de retourner à la clairière juste après, à moins qu'elle ne fût partie avant le début du bombardement, ce qui paraissait en fait logique puisque lui-même ayant dû se réveiller dès l'explosion de la première bombe, il l'aurait vue partir. Le plus probable était qu'elle n'avait pas réussi à s'endormir, après tout elle avait dit qu'une fois qu'elle était réveillée elle n'arrivait jamais à retrouver le sommeil, et allongée les yeux ouverts dans le silence, se rappelant que son père n'avait pas été là quand ils étaient retournés dîner à la tente, le plus probable était qu'elle avait eu très envie de retourner voir s'il était revenu, s'il dormait là-bas et s'il avait mangé la nourriture qu'elle avait laissée. Il était évidemment possible qu'elle eût pris conscience que son père n'avait sans doute pas l'intention de revenir à la tente, qu'il l'avait sans doute abandonnée pour de bon, et le cas échéant, il devait y avoir eu une autre raison qui l'avait décidée à retourner au camp. Peut-être avait-elle été contrariée par les pleurs de Dinesh, eu l'impression qu'il ne serait pas capable de veiller sur elle et qu'elle se porterait mieux toute seule, et pourtant ça n'avait assurément pas pu être la raison non plus puisqu'il lui avait prouvé aussitôt après qu'il pouvait prendre soin d'elle en quittant la clairière malgré le danger évident afin d'enquêter sur l'origine de ces bruits menaçants. Peut-être était-elle juste retournée au camp chercher quelque chose qu'elle avait oublié, de l'argent, de la nourriture ou un vêtement, c'était difficile à déterminer, mais quoi qu'il en soit il valait probablement mieux ne pas trop y penser, ce qui comptait c'était de la retrouver et de s'assurer qu'elle était saine et sauve. Il pourrait réfléchir à la raison de son départ plus tard, quand ils seraient de nouveau ensemble et qu'il y aurait le temps.

Il leva les yeux et vit qu'il était arrivé sans s'en rendre compte à la limite du camp. Il continua à avancer, ralentit un peu, puis après quelques pas finit par s'arrêter. D'épais nuages de fumée moutonneux s'élevaient en volutes dans le ciel crépusculaire bleu ardoise, enveloppant de vastes zones du camp d'un voile gris foncé. Il discernait deux ou trois incendies près du centre du camp, qu'est-ce qui brûlait il n'aurait su dire, et non loin au sud deux tentes proches de la périphérie s'étaient également embrasées. À côté d'elles un cocotier toujours enraciné s'était fendu en deux, ses feuilles se recroquevillant au sol autour de lui pareilles à des cheveux en flammes, ses noix de coco éparpillées tels des crânes sur les décombres. De partout montaient des cris perçants et des hurlements, et dans certains secteurs de la jungle environnante on entendait les explosions assourdies des petits mortiers portatifs du mouvement. Dinesh resta cloué là un moment sans bouger. Il savait que le camp se faisait bombarder, bien sûr, car il avait entendu les explosions et les gémissements dans la clairière et durant sa traversée de la jungle, mais ce n'était que maintenant, où ce qu'il avait entendu se déployait en évidence devant lui, qu'il prenait conscience du fait que non seulement Ganga avait quitté la clairière mais qu'elle était aussi, si elle se trouvait bel et bien dans le camp, vulnérable au bombardement. Il tituba sur quelques mètres. Accéléra un peu, puis soudain se mit à courir. Il se dirigeait le plus vite possible dans la direction sud-ouest de la tente de Ganga, mais avant même qu'il franchisse la bordure du camp, il y eut au-dessus de lui un sifflement, le bruit du métal lourd qui débaroule du ciel, et il se jeta à plat ventre sur la terre à peine visible, les yeux pressés sur ses jointures. La bombe explosa un peu plus à l'ouest, dans les environs de la clinique. C'était trop loin pour qu'il doive s'inquiéter des shrapnels, mais il attendit un instant juste pour être bien sûr, puis leva les yeux et vit des nuages de poussière et de fumée monter à l'horizon. Au moment même où il se redressait, une autre bombe explosa à proximité de la première, celle-ci sans aucun sifflement annonciateur, et il retomba au sol, le visage dans la terre. Il attendit encore, se leva, et continua à avancer. Il courut le plus vite possible à travers la périphérie du camp presque déserte, mais dut ralentir de nouveau en se frayant un passage dans les zones les plus peuplées, parmi la densité croissante de gens et d'objets.

Partout ce n'était que lamentations, gémissements, cris et hurlements, et tout ce qu'il arrivait à discerner dans la pénombre c'était des corps en sueur, des mains crispées, des pieds agités, des bouches tordues. Les protections en tôle ondulée et en feuilles de palmier avaient déjà été tirées au-dessus de quelques-uns des bunkers, mais la plupart des réfugiés étaient encore à la surface, où ils se bousculaient frénétiquement dans tous les sens, certains à la recherche de proches, d'autres du meilleur endroit pour se mettre à l'abri, d'autres encore parce qu'ils semblaient tout simplement ne pas savoir quoi faire d'autre. Dinesh ralentit un peu et tâcha de s'orienter, de réfléchir une minute juste pour s'assurer qu'il avait choisi la conduite la plus sensée. Il n'était pas encore à côté de la tente de Ganga mais il y avait une chance, il le savait, qu'en entendant le bombardement elle décide de la quitter et de revenir à la clairière, auquel cas ils risquaient de se croiser sans le savoir, lui sur le chemin de la tente, elle en sens inverse. Regardant autour de lui, il essaya d'identifier les visages des gens qui passaient en courant, mais il fut incapable de briser la masse de mouvement continue qui l'entourait. Ses yeux finirent par s'arrêter sur la seule personne des environs à être complètement immobile, un petit garçon pétrifié devant une tente, qu'on ne voyait que par intermittence derrière le flot empressé des évacués. Il devait avoir dans les huit ou neuf ans, torse nu, vêtu d'un short bleu crasseux. Contemplant pensivement quelque point indéterminé au sol devant lui, les yeux écarquillés comme des soucoupes noires, on aurait dit qu'il réfléchissait à tout autre chose qu'à la situation.

Un obus tomba au sud, Dinesh recommença à courir. Un autre tomba derrière lui au nord, dans la portion de la jungle proche de la clairière, mais il ne pouvait pas s'arrêter pour regarder car il savait que sa meilleure chance était d'arriver à la tente de Ganga le plus tôt possible. Le plus probable était qu'elle resterait à l'abri dans la tranchée jusqu'à la fin du bombardement, le plus probable était qu'elle resterait où elle était et qu'il la trouverait là-bas, mais juste au cas où elle envisagerait de partir pour la clairière au beau milieu du branle-bas il fallait qu'il arrive à destination le plus tôt possible, sinon ils risquaient de se rater. Il se déplaçait aussi vite que ses jambes fatiguées le lui permettaient, la poitrine haletante car il était faible et n'avait pas couru autant depuis longtemps. Derrière son halètement s'éleva un nouveau sifflement, plus aigu et plus net que les précédents. Dinesh se laissa tomber sur le sol poussiéreux, enfouit la tête dans les mains, ferma les yeux et attendit. Il entendit des voix proches, une femme et un homme qui appelaient : jetant alors un coup d'œil à sa droite, il vit deux visages qui le regardaient depuis leur cachette sous une plaque de tôle ondulée recouvrant un bunker et qui lui faisaient signe d'entrer. On aurait dit qu'ils le reconnaissaient, difficile d'en avoir la certitude, mais il n'avait quant à lui aucune idée de qui ils étaient et ne pouvait de toute façon pas se permettre d'entrer, il devait rejoindre Ganga le plus vite possible. Si elle était encore dans la tente à son arrivée ils pourraient se réfugier dans le bunker ensemble, il le savait, se cramponner l'un à l'autre jusqu'à ce que tout soit terminé, jusqu'à ce que le tremblement de la terre cède place au silence.

Il pourrait l'enlacer et la réconforter, et même si une bombe tombait à côté d'eux cela n'aurait pas d'importance car s'abriter dans le même bunker signifiait que si l'un d'eux mourait, ce serait probablement aussi le cas de l'autre, qu'ils auraient l'opportunité de mourir ensemble dans un petit espace privé. Si l'un d'eux venait à être blessé ce serait une autre histoire, bien sûr, mais si c'était elle alors il prendrait soin d'elle du mieux possible, pousserait son fauteuil roulant, la laverait, ferait tout ce dont elle aurait besoin, à moins qu'ils soient tous les deux blessés, auquel cas peut-être serait-il encore plus sensé qu'ils vivent ensemble, de façon que chacun puisse compenser les inaptitudes et les incapacités de l'autre.

La bombe explosa au sud, tellement fort qu'il fut presque impossible de l'entendre. Le sol résonna pesamment et des nuages de poussière brûlante, épaisse et âcre, s'élevèrent. Dinesh resta à plat ventre, les yeux clos tandis que de lourds éclats de shrapnel fendaient l'air en rangs serrés, puis entendant des cris à sa gauche il ouvrit les yeux et se retourna, regardant yeux plissés à travers un interstice entre ses doigts pour voir ce qui s'était passé. Un vieil homme gisait au sol, la moitié de la jambe droite sectionnée. Le genou saignait abondamment et l'homme hurlait, pas tant de douleur apparemment que d'incrédulité devant la tournure des événements. Dinesh se releva en tremblant et essaya de s'orienter. Il avait du mal à dire où il était tout à coup, il se sentait étourdi. En regardant devant lui il vit non loin une fumée épaisse sortir de l'un des bâtiments de la clinique apparemment dévoré par les flammes, pas le bâtiment du personnel mais le plus grand, celui avec toutes les salles de classe, autrement dit il lui fallait globalement continuer plus ou moins dans la même direction, juste un peu plus au sud, afin d'arriver dans les parages de la tente. Il s'apprêtait à reprendre sa course quand le cri à côté de lui se mua en un étrange mélange de halètements et de gargouillis, il fit volte-face : le vieil homme, essayant d'arrêter l'hémorragie, ramassait de la terre à pleines mains, qu'il saupoudrait en couches régulières sur son moignon devenu geyser. Dinesh essaya de courir le plus vite possible, mais bizarrement tout semblait ralentir, comme dans un rêve où l'on doit déguerpir pour échapper à un danger mais où l'on n'arrive, pour quelque raison obscure, qu'à se déplacer au ralenti. Le sol sous ses pieds était carbonisé, il en sentait la chaleur à travers le caoutchouc de ses tongs. L'air saturé de fumée et de soufre était presque impossible à respirer, et tous les contours partout semblaient étrangement gauchis — la peau et les poils roussis d'un corps, le plastique luisant des tentes qui fondaient —, tout était déformé par la vapeur et la chaleur, adoptant la précision difforme des objets qu'on voit derrière un verre concave. À l'exception de sacs, de casseroles, de bouteilles et autres objets éparpillés à terre, perdus ou abandonnés dans la précipitation, le camp semblait soudain dénué de vie humaine. À l'exception de ceux qui avaient été tués ou blessés et des gens qui étaient assis à leurs côtés, hébétés, presque tous les évacués semblaient être dans les tranchées. Dinesh passa à côté d'un homme qui avait dans les bras un petit garçon inerte, l'homme âgé d'une quarantaine d'années, le garçon de douze ou treize ans, son fils très probablement. Il porta le garçon sur environ un mètre dans un sens, fit brusquement volte-face et avança d'environ un mètre dans l'autre sens, puis sans trop savoir où aller avec cet enfant mort s'arrêta et dévisagea Dinesh comme pour lui demander sa route. Dinesh continuait à avancer, s'efforçant de fixer un point le plus loin possible. Il passa devant une femme agenouillée par terre devant le corps d'une jeune fille. Avec la conviction d'une mère qui sait comment obliger son enfant à bien se tenir, la femme lui martelait la poitrine à coups de poing, comme si, secouée par cette violence, l'enfant allait être obligée de réagir par peur ou culpabilité. La femme avait les yeux écarquillés et gonflés, la mâchoire décrochée, les veines du cou saillantes, et Dinesh, ne pouvant s'empêcher de marquer un temps d'arrêt devant elle, se rendit compte que bien qu'elle hurlât sans retenue, aucun son ne sortait de sa bouche, que d'ailleurs aucun son ne sortait de nulle part. Le monde autour de lui, semblait-il, était complètement muet. Depuis combien de temps était-ce le cas, c'était difficile à dire. Peut-être Dinesh n'entendait-il plus rien depuis un moment, s'imaginant que les gens criaient alors qu'en réalité il ne faisait que le déduire de leur expression, s'imaginant qu'il entendait des bombes exploser alors qu'en réalité il le comprenait uniquement au tremblement du sol sous ses pieds et aux puissantes vagues d'air chaud qui déferlaient sur lui. Il leva les yeux, essaya d'absorber le silence environnant, et tout à coup il ressentit, ou peut-être essaya juste de ressentir, un sentiment de calme.

Il recommença à avancer, ni vite ni lentement. Le sol sous ses pieds devint progressivement moins chaud, la fumée moins épaisse alors qu'il se dirigeait vers le sud, dans une zone du camp manifestement encore épargnée. Il approchait des environs de la tente de Ganga, c'était clair, tout était vaguement familier, les tentes bien ordonnées, l'emplacement des bunkers non couverts, sa position et ses points de repère par rapport à la clinique qui brûlait toujours, et c'est alors non loin devant qu'il reconnut, à sa taille et à la façon dont la toile bleue s'affaissait entre les piquets, l'arrière de la tente de Ganga. Il avait peu de chances de la trouver à l'intérieur, fut-il soudain persuadé, elle était probablement partie pour la clairière dès le début du bombardement, ou n'était même jamais revenue au camp du tout, pourtant en approchant il ressentit une tension nerveuse dans tout le corps, comme si ses pieds voulaient rester à leur place mais qu'un fil de fer invisible auquel il était suspendu par la poitrine le tirait vers l'avant. Malgré son corps récalcitrant, il se sentit poussé sans bruit à contourner la tente, à longer le petit trou où ils avaient fait cuire du riz la veille au soir et qui contenait encore toutes les cendres et les bouts de bois carbonisés du feu, à tourner devant la tente où Ganga gisait sur le ventre à environ un mètre de l'entrée, les bras tendus devant elle. Elle avait les pieds croisés selon un angle étrange, et sa robe rose était remontée au-dessus des genoux, mettant à nu la peau couleur café du bas des cuisses et des mollets. Elle avait la tête tournée, aussi, veillant à bien garder ses distances comme pour respecter autant que possible son intimité, Dinesh la contourna-t-il en silence afin de voir son visage. Le côté droit de sa tête, qui semblait quelque peu gonflé, appuyait contre la terre. Son œil gauche était à demi ouvert et la commissure droite de ses lèvres entrouvertes embrassait la poussière. Du sang formait une flaque épaisse sous sa taille, pas beaucoup mais plus qu'assez, et sans un bruit, comme si le fil de fer qui le retenait était délicatement tiré vers le bas, Dinesh s'affaissa sur les genoux. Sous lui le sol tremblait. L'air paraissait trop chaud et trop lourd à respirer. Il se passa les mains dans les cheveux, plus épais et plus secs après avoir été rincés et savonnés, puis les fit glisser sur le dessus des cuisses, sur son sarong lavé de frais. Il y eut une contraction à l'intérieur de sa poitrine, la sensation de l'air qui commence à refluer, il serra fort les bras autour de son torse comme en quête d'un appui. Dans sa poitrine l'air continuait à refluer, et afin de lutter contre la sensation d'étouffement qui le submergeait, il se mit à quatre pattes, baissa le visage au sol et se convulsa, essaya de vomir. Rien ne vint. Il essuya la terre qui collait à son front moite et tâcha de redresser la tête, mais l'air à l'intérieur de lui continuait à s'échapper et, incapable de lever les yeux, il eut un haut-le-cœur, encore, essaya de vomir, comme s'il avait quelque chose de coincé entre sa poitrine et le fond de sa gorge. D'un geste suppliant il caressa le sol à deux mains, s'efforça de faire entrer de l'air dans ses poumons, de gainer son corps et de maintenir son diaphragme en place, mais il avait beau se démener sa poitrine continuait à se resserrer, et regardant vainement autour de lui en quête d'un objet auquel se raccrocher, pareil à quelqu'un qui tombe dans le noir et s'attend à tout moment à heurter le sol mais qui n'en finit pas de tomber, il se laissa choir sans bruit sur le côté où, sa suffocation silencieuse mise à part, il resta complètement immobile.

Que se passe-t-il, en pareils moments, difficile de le savoir. Il arrive qu'au cours de la vie ordinaire on respire plus amplement, qu'on ait la nette impression étrange de pouvoir bouger au-delà des limites de l'existence quotidienne, de pouvoir aspirer le monde rien qu'en inhalant et d'en contenir toute l'étendue sous la peau, pleinement et de façon permanente. Et si de tels moments existent, peut-être est-il sensé de croire qu'il y a aussi des moments où l'on respire plus ou moins amplement, où notre poitrine se contracte et où l'on est obligé de regarder passivement l'air refluer de nos poumons, comme aspiré par l'atmosphère, suite à quoi notre personne rétrécit, décroît jusqu'à être si minuscule qu'on a bientôt l'impression qu'on va se dissoudre dans le monde extérieur à notre peau. Peut-être, bien que vivre consiste jusque dans le moindre instant à respirer, inspirer expirer, inspirer expirer, sans jamais cesser une seule seconde puisque évidemment respirer survient indépendamment de tout choix ou habitude, est-ce un pacte conclu entre la poitrine et l'air à propos duquel l'esprit n'a pas son mot à dire, peut-être, bien que la vie elle-même ne soit rien d'autre qu'une oscillation entre ces états, entre aspirer l'air puis faire qu'il soit rejeté, entre tenter inconsciemment d'englober le monde avant d'être obligé d'y renoncer complètement, peut-être est-ce simplement lors de ces rares moments d'inhalation ou d'exhalaison plus complètes que la relation entre soi et le monde que l'on a toujours respiré devient manifeste, que l'on voit véritablement les limites de l'englobement et de la dissolution entre lesquels on a toujours oscillé, depuis notre premier souffle douloureux à la naissance, la plus belle tentative d'incorporation de l'environnement extérieur, jusqu'au dernier souffle las à la mort où, complètement expulsé de son corps, on se perd enfin dans l'atmosphère. Il était difficile de savoir ce qui se passait précisément tandis que l'air à l'intérieur des poumons de Dinesh continuait à se vider et que sa poitrine se contractait presque au point de s'effondrer, tandis que le sol sous lui résonnait sans trêve et tandis que les yeux vitreux, dans le vague, il regardait en coin le corps de Ganga, mais peut-être que ce à quoi il réfléchissait tandis qu'il était allongé là sans bouger c'était surtout à ça, au fait qu'il était plus loin de cette possibilité d'englobement qu'il ne l'avait jamais été auparavant, que l'air qu'il perdait, quels que fussent ses efforts acharnés pour tenter de le réaspirer par la suite, avait fort peu de chances d'être remplacé, et que sa poitrine aurait beau évidemment conserver un peu d'air tant qu'il continuerait à vivre, sa contenance serait à jamais mise à mal, si bien que pareil à un vieillard ou à un infirme il ne pourrait plus que prendre de petites gorgées d'air prudentes, jusqu'à ce qu'il meure et qu'il lui soit enfin permis de se dissoudre.

Il ferma les yeux et essaya de se lever mais n'y arriva pas, incapable de fournir véritablement l'effort. Il se tourna sur le dos et essaya à nouveau vainement de soulever le torse : sa force s'était tellement dispersée à travers son corps qu'il lui était impossible de la concentrer sur des mouvements précis. Il laissa retomber la tête au sol et, allongé sur le dos, parallèle à Ganga, contempla mollement l'épaisse émanation de fumée et de poussière au-dessus de lui. L'aube était passée depuis longtemps mais la lumière du jour était émoussée par ces masses de nuages noirs. Déployés à perte de vue à travers le camp, montant lourdement en spirale à l'endroit où les bombes venaient de tomber et où des objets brûlaient, ils étaient par endroits suffisamment fins pour donner un aperçu du ciel incolore derrière eux. Dinesh ferma de nouveau les yeux et essaya de se concentrer, comme s'il avait quelque chose à faire avant que l'air restant en lui fût perdu et qu'il devînt impuissant. Contractant la partie supérieure de son corps au maximum, il réessaya de se soulever du sol, cette fois y réussit, se redressa en position assise et tâcha de se ressaisir. Afin de parvenir à une certaine compréhension de la situation, il regarda de nouveau Ganga, se concentrant non pas sur son œil entrouvert ni sur le sang qui avait formé une flaque sous son ventre mais sur le simple fait qu'elle gisait là immobile à côté de lui, immobile mais plus ou moins entière. Il fut saisi d'une forte envie de l'envelopper de ses bras, de l'empoigner et de la serrer fort, de la garder pressée contre lui, de faire en sorte que son corps reste sauf et entier, mais l'étreindre n'aboutirait qu'à la compromettre davantage, il le savait, et fourrant ses mains sous ses genoux pour les empêcher d'aller la toucher malgré lui il regarda nerveusement alentour en quête de quelque autre manière de la protéger. Il balançait le torse d'avant en arrière tandis qu'il examinait les environs avec hésitation, puis, faute de trouver ce qu'il voulait, dégagea ses mains de sous ses genoux et les plaça au sol devant lui, caressa une fois de plus la terre avec ses paumes. Il continua à la caresser un moment, comme pour lui demander de l'aide, puis se pencha lentement et se mit à appuyer. Le sol était dur, mais il pesait dessus de tout son poids comme pour y pénétrer, comme si en plongeant les mains suffisamment loin à l'intérieur il eût pu extraire en un seul bloc le bout de terre sur lequel gisait Ganga et s'en servir pour la transporter à l'abri sans avoir à toucher son corps fragile.

Il cessa brusquement de pousser et, levant les yeux, contempla les bras de Ganga. Ils étaient allongés derrière sa tête, le droit plié avec décontraction, le gauche complètement tendu et la main presque à angle droit par rapport au poignet. Sans quitter des yeux cette main gauche, Dinesh s'en approcha en se traînant sur les genoux, puis aplati au sol étudia les longs doigts fins de Ganga légèrement pliés, mais qui ne s'enroulaient ni ne se déroulaient comme ils l'avaient fait pendant son sommeil la nuit précédente. Essuyant sa main poussiéreuse sur son sarong, Dinesh hésita un instant, puis lentement, presque craintivement, comme il l'avait fait dans la clairière la nuit d'avant, serra l'extrémité du pouce de Ganga entre le sien et l'index. Il effleura l'ongle dur et les gravures délicates qui constituaient l'empreinte, puis fermant les yeux il écouta, dans l'expectative. Il n'entendit rien. Il fit glisser le pouce et l'index vers le poignet, ferma les yeux et écouta de nouveau, puis, s'aplatissant au-dessus de la tête de Ganga, superposa délicatement sa tempe à la sienne et attendit une fois de plus en silence. Au début il ne se passa rien, puis sans un bruit une vague de contraction musculaire remonta du ventre de Dinesh à son cou. Ses lèvres s'entrouvrirent et sa tête bascula en arrière, mais, s'écartant le plus possible de Ganga, il serra fort les lèvres et s'efforça d'étouffer le mouvement à l'intérieur de sa gorge. Il resta aplati au sol, tous les muscles contractés, le front contre la terre, et ce n'est que lorsque cette vague fut passée et qu'il fut certain qu'il n'en viendrait pas d'autres que son corps se relâcha, même si ses yeux restèrent clos et qu'il ne bougea pas. Sous lui le sol vibra doucement, presque agréablement. Une bourrasque d'air chaud se leva, se colla brièvement à sa peau humide, s'en décolla. Il leva la tête et regarda Ganga. Il était incapable d'inspirer mais il avait cessé de perdre de l'air, et comme s'il n'était toujours pas convaincu par ce que l'extrémité de ses doigts n'était pas parvenue à sentir, il s'approcha tout doucement, sans respirer, du centre du corps de Ganga. Veillant à éviter la petite flaque sombre à côté de sa taille, il leva précautionneusement la main au-dessus de son ventre pour atteindre l'ourlet de sa robe qu'il lui rabattit sur les genoux de façon que ses cuisses ne soient plus exposées. Il l'examina des pieds à la tête afin de s'assurer que tout était en ordre, puis lui glissa prudemment une main sous l'épaule gauche et l'autre sous une partie de la cuisse gauche qui n'avait pas de sang. Il l'empoigna le plus souplement possible pour limiter au maximum le contact avec la chaleur de sa chair et leva prudemment le côté gauche de son corps, si bien qu'elle fut complètement allongée sur le côté droit. Il voulait la faire rouler délicatement sur le dos mais à peine son centre de gravité eut-il franchi la verticale qu'elle bascula de son propre chef et tomba mollement avec un petit bruit sourd inaudible.

Elle gisait là devant lui, inerte et silencieuse. Ses yeux entrouverts regardaient vers le haut dans deux directions différentes, comme si le ciel avait quelque chose de déroutant. Sa joue droite, qui avait été appuyée au sol, était couverte de terre, tout comme la paupière et le sourcil du même côté, et la zone autour de sa tempe droite était bizarrement gonflée. Dinesh se pencha vers son visage, se plia lentement au-dessus d'elle et porta l'index sur son œil gauche. De la pointe du doigt, le plus délicatement possible, il toucha la paupière juste au-dessus des cils et fit glisser vers le bas la mince enveloppe de peau de façon que l'œil fût fermé. Pour l'œil droit ce fut légèrement plus difficile à cause de la boursouflure de la tempe, mais il parvint à baisser la paupière presque complètement à l'exception d'un interstice blanc, si bien que les deux yeux de Ganga étaient plus ou moins clos et son expression moins déroutée. À l'aide de trois doigts il frotta la terre sur la joue droite, prudemment mais fermement. Comme la peau restait poussiéreuse même une fois la terre enlevée, il humidifia ses doigts avec sa langue et appliqua sur la joue un peu de salive qu'il fit pénétrer délicatement de sorte que la peau prit une teinte brune plus propre que sur la joue gauche. De l'index il caressa le sourcil gauche de Ganga, époussetant et redressant tous les petits poils, puis fit de même avec le droit, dont la pointe était surélevée à cause du gonflement autour de la tempe. Il s'assit et examina son visage, qui semblait à présent en bien meilleur état, puis se tourna vers son ventre. Le pan de robe qui le couvrait était noir et humide, moucheté de sable, particulièrement brillant le long d'une mince bande de tissu qui avait manifestement été déchirée et où à une extrémité ce qui ressemblait au bord d'un morceau de shrapnel renvoyait une lueur sourde. La terre sur laquelle avait reposé son ventre était elle aussi pâteuse de sang, épaisse et granuleuse bien que d'une couleur moins sombre. Les yeux baissés, Dinesh contempla sans bouger cette mixture. Ce sang avait jusqu'à récemment voyagé dans les vaisseaux de Ganga, lui fournissant sans bruit tout ce dont elle avait besoin pour la vie. À un certain point de sa progression à travers les artères et les veines il avait traversé les différents compartiments de son cœur battant, et le voilà qui était exposé à la terre et à l'air, obligé de coaguler, sécher, perdre sa chaleur. Dinesh déboutonna sa chemise, qui malgré la transpiration sentait encore vaguement le citron vert, puis la retira et l'étendit délicatement sur le ventre de Ganga, de façon que la plaie et le sang fussent entièrement recouverts. Il se pencha en arrière et étudia le corps de Ganga, désormais plus présentable, qu'on aurait même pu prendre pour celui d'un dormeur. Comme s'il n'arrivait toujours pas à croire que le sang n'y circulait plus, il se pencha au-dessus de la poitrine et posa son oreille contre le sternum, qui saillait très légèrement à cause de la petite bascule des seins. Veillant à ne pas appuyer trop fort au cas où cette pression ferait jaillir le sang du ventre, Dinesh ferma les yeux et s'efforça encore d'écouter.

Peut-être le cœur ne bat-il qu'à cause de la circulation du sang à travers le corps et non l'inverse. Peut-être, pareil à un mécanisme qui convertit une certaine énergie cinétique en une autre, est-ce simplement parce que le corps vivant est en mouvement perpétuel que le sang circule constamment à l'intérieur, et peut-être l'unique fonction du cœur dans ce processus est-elle de convertir la circulation du sang en bruit, en un rythme régulier à deux temps dont le seul but est de communiquer la nature de sa vie intérieure aux autres créatures vivantes, d'exprimer à travers sa pulsation l'humeur et le sentiment de son propriétaire à ceux qui sont suffisamment près pour entendre. Dinesh se remit lentement en position assise et regarda alentour comme s'il espérait trouver quelque part dans cette désolation un instrument grâce auquel le sang pourrait être recueilli, reversé dans le corps de Ganga et remis en mouvement. Il regarda à sa gauche, il regarda à sa droite, puis en regardant devant lui il remarqua pour la première fois, à l'entrée de la tente, l'assiette en acier inoxydable que Ganga avait laissée la veille au soir pour son père. Elle était renversée et autour étaient éparpillés le riz blanc et le dhal que Ganga avait cuisinés, encore humides mais désormais mêlés de terre. Son père n'y avait manifestement pas touché, manifestement il n'était pas revenu et n'en avait pas eu l'intention, et en voyant son repas Ganga avait probablement décidé de trouver quelqu'un d'autre à qui le donner, ou peut-être de rechercher son père afin de pouvoir le lui faire elle-même avaler. Dinesh contempla un moment la nourriture, qu'il faudrait sans nul doute mâcher avec des grains de sable durs si l'on voulait la manger à présent, puis se détourna discrètement et, s'appuyant sur les mains, fut pris d'un haut-le-cœur. Comme si une main invisible se glissait au fond de sa gorge et essayait de tout sortir, pas juste l'air mais aussi la matière qui le constituait, il eut un nouveau haut-le-cœur, puis vomit, une vague succédant à l'autre, haut-le-cœur et vomissements, sans qu'il pût s'arrêter. Au début il essaya de les repousser, les larmes aux yeux, les veines du cou et des tempes gonflées, le cou et les bras contractés dans l'effort d'empêcher son corps de se retourner complètement, puis, comme si un interrupteur silencieux avait brusquement été actionné, il sembla capituler. Son corps se relâcha, il approcha la tête du sol et laissa remonter les vagues sans résister le long de ses boyaux et de sa gorge, comme s'il n'était plus concerné par ce qui lui arrivait. Il attendit passivement l'arrivée de chaque vague successive, comme s'il voulait, voire désirait, laisser son corps se vider, comme s'il voulait, voire désirait, coopérer avec l'air, cela dit, se résignait-il si complètement parce que c'était une chose dont il avait envie ou parce que c'était une chose dont l'avènement était inévitable, c'était difficile à dire, pas juste difficile d'ailleurs mais impossible. Après tout il arrive parfois aux êtres humains des choses suite auxquelles leurs pensées et leurs sentiments deviennent inconnaissables. Il y a des événements suite auxquels, peu importent le temps qu'on a passé à côté de ces êtres humains et notre degré de proximité avec eux, peu importe à quel point on désire instamment et intensément comprendre leur situation, avec quelle méticulosité on essaie de l'imaginer ou de la déduire à partir de nos propres expériences, on n'a d'autre choix que d'observer aveuglément de l'extérieur. Pas tant parce que l'on n'a jamais vécu soi-même de choses similaires, pas tant parce que l'on vit dans un contexte différent, dans une autre région du pays, voire dans un autre pays, ni parce que l'on essaie de comprendre depuis un point de vue différent, avec un vocabulaire distinct, ou carrément dans une autre langue, pas tant pour aucune de ces raisons qui peuvent toujours être surmontées dans une certaine mesure mais parce que, lorsque de telles choses arrivent à quelqu'un, la vie à l'intérieur de lui qui jadis s'exprimait sur son visage est séparée de sa peau et se perd à l'intérieur de son corps, incapable de trouver un moyen d'expression. Tel un élastique trop tendu, telle la tige douce et cireuse d'une plante, pliée puis sectionnée, ou la fine coquille d'un escargot sur laquelle on marche et qui se brise, il se passe quelque chose, et soudain rien dans les actes de cette personne, rien dans ce qu'elle dit, dans les mouvements de ses mains ni de ses jambes, dans ses gestes ni sur ses traits, rien ne livre aucune indication sur qui elle est ni sur ce qui lui arrive, si bien qu'il n'est plus possible de deviner ses pensées ni ses sentiments, ni même si elle en a tout court d'ailleurs, s'il y a encore un être humain qui habite ce corps, ou si, après avoir tellement diminué, l'humain s'est tout simplement éclipsé pour pénétrer dans l'air en l'espace d'une seule exhalaison silencieuse, laissant le corps en un sens toujours vivant, les mains toujours saisissant et les pieds toujours marchant, la vessie se remplissant et les intestins se vidant, la poitrine, bien qu'imperceptiblement, se soulevant et s'affaissant toujours, tandis que dans le regard et dans l'expression quelque chose de vital s'est entre-temps absenté.

Dinesh se redressa en position assise, les yeux vitreux, le regard vide. Le sol sous ses pieds ne tremblait plus, l'air autour de lui ne bougeait pas. À l'exception de son halètement discret et des petits spasmes légers qui agitaient son corps, tout dans le camp était complètement immobile. Il enserra sa maigre taille dans ses maigres bras, et lentement, régulièrement, balança son torse nu d'avant en arrière. Contemplant d'un air impassible ses paumes posées à plat sur le sol devant lui, il caressa tendrement et en rythme la surface de la terre meuble, ralentissant jusqu'à l'arrêt complet, puis recommençant au bout d'un moment, ralentissant jusqu'à l'arrêt complet, puis recommençant, cependant que sa poitrine s'élevait et s'affaissait toute seule, malgré lui, introduisant et expulsant de force, sans égard pour quoi que ce fût d'autre, la petite quantité d'air que son corps était encore capable de contenir.

Composition : Nord Compo
Achevé d'imprimer
par Normandie Roto Impression s.a.s.
61250 Lonrai, en mai 2016
Dépôt légal : mai 2016
Numéro d'imprimeur : 1601429
ISBN 978-2-07-017951-0 / Imprimé en France

299626